中級日本語教科書
わたしの見つけた日本

For Intermediate Learners of Japanese
Japan through My Eyes

近藤安月子・丸山千歌・有吉英心子［編著］
KONDOH Atsuko, MARUYAMA Chika and ARIYOSHI Emiko

東京大学出版会
University of Tokyo Press

For Intermediate Learners of Japanese
Japan through My Eyes
KONDOH Atsuko, MARUYAMA Chika and ARIYOSHI Emiko
University of Tokyo Press, 2013
ISBN978-4-13-082018-9

はしがき

　この教科書は、初級文法を修了し、中級を学ぼうとする学習者を対象にした総合教科書です。初級文法を体系的に復習しながら、中・上級への橋渡しとなる学習内容（語彙、文法、表現、文体）の短期間の学習を可能にすることを目指して開発されました。初級修了の学習者が、学習動機を維持しつつ、できるだけすみやかに、いわゆる「中級の壁」を超えられるよう、厳選された学習内容を提供しています。

　本書は、「わたしの見つけた日本」というテーマに関連させながら、日本学習歴、日本体験歴の浅い学習者が留学生活を通して見聞きしたり体験したりする「日本」に関わる6つのトピックで構成されています。これらのトピックに基づいた6つの課は、日本語教師による書き下ろし読解教材（以下、「日本語教師による読解教材」）、文法と表現、聴解練習、会話練習、作文練習、外国人が日本人向けに日本語で書いた素材による読解教材（以下、「外国人による読解教材」）から成り立ちます。「外国人による読解教材」では、学習者にとっての先輩、すなわち、かつての日本語学習者が日本語母語話者に向けて日本語で書いた体験を読むことを通して、「日本」と「自身の国や地域」における習慣や考え方の異同に気づき、そうした発見を共有することもねらいの一つとしています。

　本書では、学習者の母語の多様性に対応するために、読解教材を「フリガナなし」「フリガナつき」で提示し、語彙の訳、文法や表現の解説を英語・中国語・韓国語で付しました。また、音声や練習問題の解答例を、ウェブサイト（https://www.utp.or.jp/special/myeyes/）で配信して、学習者や日本語教師の皆様に広くお使いいただけるように配慮しました。

　この教科書の使用により想定される学習効果は、①中級の語彙や文型を学習しつつ初級文法を適宜復習することで、より正確な日本語の定着が図れる、②「日本語教師による読解教材」によりトピックに対する理解を深めた後、「外国人による読解教材」にあたることによって、語彙や文型に対する意識的な学習が促される、③「日本語教師による読解教材」によって理解を深めてから話す活動に入ることで、より活発な話し合いの活動が促され、中級以降に求められる談話レベルの会話を展開する力を高められる、④会話のインフォーマルなスタイルも紹介されており、中級以降の日本語力の一つのテーマであるスピーチスタイルの使い分けに対する意識を高められる、などがあります。

　この教科書の使用が効果的であろう教育環境は広く考えられます。第一は、英語などの共通語によって専門科目が開講されている大学での中級レベルの主教材としての使用です。これには、国内の短期留学プログラム、海外の大学の日本語プログラムがあたります。第二は、日本語とそのほかの言語で授業を開講している国内の大学の中級レベルの主教材としての使用です。そして第三は、速読、多読用教材としての使用、さらに日本人学生との合同クラスでの

ディスカッション用教材としての使用の可能性も考えられます。

　なお、本書を修了した学習者は、同じ編著者による『中・上級日本語教科書　日本への招待』、そして『上級日本語教科書　文化へのまなざし』を用いた学習へと進むことで、日本語による知的な言語活動が身に付けられるように、三つの教科書がデザインされています。

*

　本書の開発にあたっては、多くの方々のご尽力をいただきました。まず、試用版を使って、具体的かつ有益なコメントをくださった、白百合女子大学の日本語教育副専攻の先生方と留学生の皆さんにお礼を申し上げます。また、音源作成にあたってご尽力くださった野谷昭男さん（東京大学教養学部共通技術室）、イラストを描いてくださった有吉和夫さん、文法解説や語彙の翻訳を担当してくださったAmy Millsさん、李佳樑さん、李英蘭さんにもお礼を申し上げます。最後に、この教科書は編集担当の小暮明さんの熱意とご協力により実現しました。ほんとうにありがとうございました。

　この教科書が、初級修了時の学習者の皆さんの知的好奇心を刺激し、学習動機を高め、短期間で中級後半レベルに到達することの一助となれば、幸せに思います。

編著者一同

目次

はしがき（i）　　この教科書で学習するみなさんへ（vi）
To Students Using This Textbook（x）　　致本教材的学習者（xii）　　이 교재의 학습자에게（xiv）
この教科書をお使いになる先生方へ（xvii）　　文法の記号（xx）

はじめに「日本に着きました」……………………………………… 1

第1課 人と出会う …………………………………………………… 7

　ステップ❶ 読もう 「初めての日本体験」

　ステップ❷ 整理しよう　文法と表現

　ステップ❸ 聞こう 「身近な異文化体験」

　ステップ❹ 話そう・書こう
　　「日本語クラスでの経験」「日本語の勉強をはじめたきっかけ」

　ステップ❺ 挑戦しよう 「日本人の道案内のすばらしさ」

第2課 夢を話す ……………………………………………………… 37

　ステップ❶ 読もう 「私の夢」

　ステップ❷ 整理しよう　文法と表現

　ステップ❸ 聞こう 「国際交流サークルの説明会」

　ステップ❹ 話そう・書こう
　　「顔合わせ会で自己紹介」「将来の希望」

　ステップ❺ 挑戦しよう 「会長からもらった宝物」

第3課 違いを考える ……………………………………………… 77

ステップ❶ 読もう 「日本人の宗教に対する考え方」

ステップ❷ 整理しよう 文法と表現

ステップ❸ 聞こう 「何か宗教を信じていますか」

ステップ❹ 話そう・書こう
「大学1年生の生活実態」「大学のサークル活動」

ステップ❺ 挑戦しよう 「日本人になりたかった私」

第4課 生活になじむ ……………………………………………… 119

ステップ❶ 読もう 「何でもいいと言われても」

ステップ❷ 整理しよう 文法と表現

ステップ❸ 聞こう 「DELIの注文」

ステップ❹ 話そう・書こう
「いろいろな国の結婚式」「日本の習慣や日本人の行動」

ステップ❺ 挑戦しよう 「緊張の文化」

第5課 経験をふりかえる ………………………………………… 149

ステップ❶ 読もう 「留学生たちのアルバイト経験」

ステップ❷ 整理しよう 文法と表現

ステップ❸ 聞こう 「日本人との付き合いで困ること」

ステップ❹ 話そう・書こう
「「また今度」の意味」「日本語ならではの言葉」

ステップ❺ 挑戦しよう 「水泳にまつわる話」

第6課 居場所を見つける ……………………… 183

- ステップ❶ 読もう 「本音(ほんね)が聞きたい」
- ステップ❷ 整理(せいり)しよう 文法(ぶんぽう)と表現(ひょうげん)
- ステップ❸ 聞こう 「外国での生活(せいかつ)」
- ステップ❹ 話そう・書こう
  「日本の経験(けいけん)から学(まな)んだこと」「異文化(いぶんか)での暮(く)らし」
- ステップ❺ 挑戦(ちょうせん)しよう 「部屋(へや)から部屋(へや)へ」

おわりに 「元気でやっています」 ……………………… 211

復習文法(ふくしゅうぶんぽう)(ステップ2 整理しよう)(217)

「聞(と)き取(こ)り」の答(こた)え(ステップ3 聞こう 「タスク」[2])(239)

「会話(かいわ)」のインフォーマル・スタイル例(れい)(ステップ4 話そう・書こう)(241)

語彙索引(ごいさくいん)(245)　文法・表現索引(ぶんぽうひょうげんさくいん)(258)

この教科書で学習するみなさんへ

1　教科書のねらい

　この教科書は中級の日本語教科書です。日本語を学ぶみなさんが日本に留学したら、きっと関心を持つと思われる、日本人や日本社会についてのいろいろな情報を読んだり、聞いたりします。またそれをもとにして、自分の意見を述べたり、書いたりします。初級の文法を復習しながら、中級からの日本語学習に無理なく進めるようになっています。日本に留学したときに見たり聞いたりして体験するいろいろなことを、この教科書からも体験してください。

2　教科書の構成

　この教科書は、日本に留学したときの体験を6つ選びました。まず「はじめに」を読んでください。「はじめに」は日本に到着したときの留学生のメールです。このメールで、これからみなさんがこの教科書で勉強することを考えます。第1課から第6課は留学生のいろいろな体験です。そして、「おわりに」は、いろいろな体験をした留学生のメールです。このメールを読んで、教科書のまとめの活動をします。

　　　　はじめに　「日本に着きました」
　　　　第1課　　人と出会う
　　　　第2課　　夢を話す
　　　　第3課　　違いを考える
　　　　第4課　　生活になじむ
　　　　第5課　　経験をふりかえる
　　　　第6課　　居場所を見つける
　　　　おわりに　「元気でやっています」

　このあとに、次の部分があります。

　　　　復習文法
　　　　「聞き取り」の答え

「会話」のインフォーマル・スタイル例
語彙索引
文法・表現索引

ウェブサイト（https://www.utp.or.jp/special/myeyes/）には、次の部分があります。

音声
「予習シート」「新しい文法」「タスク」「復習文法」の答え
スクリプト

3　各課の構成

各課は、次の5つの部分に分かれています。

（1）ステップ1　読もう

　その課のトピックに関わる本文を紹介します。ステップ1の本文の予習には「予習シート」を使ってください。本文には、漢字の読み方について「フリガナなし」と「フリガナつき」があります。みなさんの漢字の力に合わせて使ってください。

（2）ステップ2　整理しよう

　ステップ1に出てくる初級の文法を「復習文法」（①②…の番号）で確認し、中級の新しい文法と表現を「新しい文法」（1 2…）、「接続表現」（1 2…）、「便利な表現」（①②…）で学びます。「復習文法」は教科書の終わりにまとめてあるので、覚えているかをチェックしましょう。「新しい文法」「接続表現」「便利な表現」には、英語・中国語・韓国語の説明と、例文と練習があります。知っていること、一度習ったけれど復習が必要なこと、新しく勉強すること、それぞれを整理しましょう。これらは、ステップ5の本文でも使われます。文法や表現には、本文の行番号をつけているので、どこで出てきたか分かります（たとえば、ス1[2]はステップ1の2行目を示します）。

（3）ステップ3　聞こう

　「聞き取り」の練習をします。「聞き取り」はステップ2で習った文法・表現を使っています。聞く力を伸ばします。

（4）ステップ4　話そう・書こう

「会話」「ロールプレイ」「スピーチ」「座談会」「作文」の練習をします。「会話」「ロールプレイ」ではさまざまな場面を想定して、実際に話してみます。さらに「スピーチ」と「座談会」で自分の意見を話し、それを「作文」にします。このようにして、話す力、書く力を伸ばします。

（5）ステップ5　挑戦しよう

みなさんの日本語の先輩たちが、日本人や日本社会について日本語で書いたものをいっしょに読んでみましょう。日本人に向けて書いているので、ステップ1の本文より難しいですが、使われている文法・表現は基本的に同じです。ステップ5の本文にも、漢字の力に合わせて読めるように、「フリガナなし」と「フリガナつき」があります。ステップ5の予習には「予習シート」を使ってください。そして、先輩たちが日本人と日本社会をどのように感じ、考えたかを見つけてください。みなさんと同じような経験もあるでしょう。まったく違う経験もあるかもしれません。

4　語彙

「はじめに」、第1課～第6課、「おわりに」には、読んだり聞いたりするための語彙のリストがあります。語彙は、本文に出てくる順になっています。特に中級の日本語の学習で役に立つものに次のしるしをつけました。

* **　話す・書くのに必要な語彙（書けなくてはいけない語彙）
* *　聞く・読むのに便利な語彙（聞いたり読んだりするときに意味が分かったほうがいい語彙）

語彙につけた［　］の数字は、本文の行番号です（グラフやデータは［グ］［デ］と示します）。どこで初めて出てきたか分かります。

5　復習文法

ステップ2の復習文法をまとめています。中級の学習で、もっと練習が必要な初級の文法を選んでいます。復習文法には、英語・中国語・韓国語の簡単な訳と例文を付けました。どのようなときにその文法を使うかを考えて、形を整理してから、短い文を作る練習があります。

6　「聞き取り」の答え

　ステップ3の「タスク」［2］の答えです。聞き取れたかどうか確かめるときに使ってください。

7　「会話」のインフォーマル・スタイル例

　ステップ4の「会話」を友だちとのインフォーマルな会話にした例もあります。丁寧な話し方との違いを確かめましょう。

8　語彙索引、文法・表現索引

　巻末に「語彙」と「文法・表現」の索引があります。

9　学習をサポートするウェブサイト

　がついた部分（ステップ1と5の「本文」、ステップ3の「聞き取り」、ステップ4の「会話」、「「会話」のインフォーマル・スタイル例」など）の音声をウェブサイトからダウンロードできます。日本語の自然なリズムや表現豊かなイントネーションを聞いてください。

　ステップ1と5の「予習シート」、ステップ2の「新しい文法」、ステップ3の「タスク」、「復習文法」それぞれの答え、またステップ3の「聞き取り」のスクリプトもダウンロードできます。

To Students Using This Textbook

1 Aims of This Textbook

This is an intermediate level Japanese textbook. You will read and listen to information about Japanese people and society that may be of interest to those of you who are studying Japanese and may study abroad in Japan. You will be expressing your opinions about such information as well. This book is designed so that you will be reviewing beginning level grammar, allowing an easy transition to the study of intermediate Japanese and upper levels. Through this textbook, you can experience the same things you will see and hear when you study abroad in Japan.

2 Textbook Structure

This textbook has chosen six experiences encountered while studying abroad in Japan. Read the "Introduction" first. The "Introduction" is an email from a student who has arrived in Japan. Using this email, you will think about the topics you will study in this textbook. The first through sixth chapters detail the various experiences of study abroad students. The "Conclusion" is an email about a student's experiences studying abroad. Read this email and complete the exercises which summarize the textbook.

Introduction	"I arrived in Japan"	Chapter 4	Settling in
Chapter 1	Meeting people	Chapter 5	Looking back on experiences
Chapter 2	Talking about dreams	Chapter 6	Fitting in
Chapter 3	Thinking about differences	Conclusion	"I'm doing fine"

After these chapters, you will find the following sections.

Grammar review
Answers to "listening"
Examples of "Informal Conversation"
Vocabulary index
Grammar points and Expressions index

The website (https://www.utp.or.jp/special/myeyes/) contains the following:

Audio
Answers for "Prep Sheet", "New Grammar", "Tasks", and "Grammar Review"
Scripts

3 Organization of Each Chapter

Each chapter is divided into the following five sections.

1) Step 1: Let's read

Step 1 contains texts related to the topics in the chapter. Use the "Prep Sheet" to prepare before reading the texts in Step 1. There are two versions of the texts; "Without Furigana" and "With Furigana". Use either according to your kanji level.

2) Step 2: Let's organize

Step 2 reviews the beginning level grammar in "Grammar Review" (indicated by ①②...) and introduces intermediate level grammar and expressions in "New Grammar", ([1][2]...) "Conjunctions", ([1][2]...), and "Useful expressions" (〈1〉〈2〉...). At the end of the textbook there is a summary of the "Grammar Review", which you can use to test what you have learned. In "New Grammar", "Conjunctions", and "Useful Expressions", there are explanations in English, Chinese, and Korean, along with examples and exercises. Try to organize 1) things you already know, 2) things you have learned but require review, and 3) the new things you will learn. These three sections will also be used in Step 5. Grammar points and expressions will be provided with a line number, so you can know where it appears in the textbook. (For example, ス1 [2] indicates that it appears in the second line of Step 1.)

3) Step 3: Let's listen

You will practice your listening skills in Step 3. The "Listening" includes The "Listening" section includes the expressions and grammar you learned in Step 2. Here, you will be able to improve your listening skills.

4) Step 4: Let's talk and write

Step 4 provides practice in "Conversation", "Role-play", "Round-table discussion" and "Essay" writing. In the "Conversation" and "Role-play" section, you will practice speaking in different situations. In the "Speech" and "Round-table discussion" section, you will express your opinion, and write an "Essay" based on it. In this way, you can improve your speaking and writing skills.

5) Step 5: Challenge
Read the material written by expert learners of Japanese about Japanese people and society. The material is geared toward a Japanese audience, so it may be more difficult than the texts in Step 1, but the grammar and expressions that are used are essentially the same. There are two versions of the texts; "Without Furigana" and "With Furigana", so you can choose either one according to your Kanji level. Use the "Prep Sheet" to prepare for Step 5. Find out what the expert learners of Japanese felt, and thought about Japanese people and society. Their experiences may be the same, or different from yours.

4 Vocabulary

There is a vocabulary list for the reading and listening sections in the "Introduction," "Conclusion", and Lessons 1 through 6. The words are listed in the order they appear in the textbook. There are asterisks next to the words that are particularly beneficial to the study of Intermediate Japanese.

　　**Words that are necessary for speaking and writing (words that you should be able to write)
　*Words that are useful for listening and reading (words that you should be able to understand when listening and reading)

The numbers enclosed in brackets next to the vocabulary words are the line numbers of where they appear in the textbook (pictures and graphs are denoted as [グ] and [デ]. The numbers indicate where the words have first appeared in the textbook.

5 Grammar Review

This section reviews the beginning level grammar in Step 2. Grammar that requires extra practice for intermediate Japanese has been chosen for this review. There are English, Chinese and Korean translations, as well as example sentences. Think about when such grammar is used, organize its structure, and complete the sentence-making exercises.

6 Answers to "Listening"

Answers to the "Task" [2] section in Step 3 are provided here. Check to see if you have listened correctly.

7 Examples of "Informal Conversation"

Examples of informal conversations between friends based on the "Conversation" section in Step 4 are shown here. Learn the differences between formal and informal conversation.

8 Vocabulary Index, Grammar Points and Expressions Index

There is vocabulary index and sentence pattern index at the end of the textbook.

9 Website to support learning

Audio from the text in Steps 1 and 5, the "Listening" section in Step 3, and "Conversation" and Examples of "Informal Conversation" in Step 4, and such (as indicated by the 🔊) can be downloaded from the website. Listen to the natural rhythms and expressive intonation of the Japanese language.
Answers can be downloaded for the "Prep Sheet" in Steps 1 and 5, "New Grammar" in Step 2, and the "Grammar Review" and "Tasks" in Step 3. "Listening" scripts for Step 3 can also be downloaded from the website.

致本教材的学习者

1．本教材的目标

本教材是中级日语教材。日语学习者在日本留学期间会接触到许多与日本人、日本社会相关的、令人感兴趣的信息，在此基础上口头或笔头地发表自己的意见。这一过程中，学习者在复习初级语法的同时，水到渠成地过渡到中级以后的日语学习阶段。我们希望大家也能通过本教材体验日本留学期间的各种见闻。

2．本教材的构成

本教材撷取了日本留学期间的6个环节。大家首先读到的"开篇"是留学生刚到日本时所写的邮件。在这封邮件里，大家将了解到本教材的学习内容。从第1课至第6课是留学生的各种体验。"尾声"则是留学生在经过了各种体验之后写下的邮件。通过这封邮件，大家可以小结本教材的内容。

  开　篇　"我到日本了"　　　　　第四课　习惯新的生活
  第一课　与人相遇　　　　　　　第五课　回顾经历
  第二课　谈理想　　　　　　　　第六课　寻找住处
  第三课　思考不同之处　　　　　尾　声　"我过得很好"

在教材正文之后，附有以下内容。

  语法复习　　　　　　　　　　　词汇索引
  "听写"参考答案　　　　　　　语法・表达索引
  "会话"的简体举例

网站（https://www.utp.or.jp/special/myeyes/）收录有以下内容。

  音频资料
  "预习任务单"，"新语法"，"任务"，"复习语法"的参考答案
  录音文字

3．各课的构成

各课分为以下5个部分。

1）第1步　阅读

首先介绍与这一课的主题有关的课文。预习第1步的课文时，请使用"预习任务单"。课文有"不注汉字读法"和"注出汉字读法"两种，请根据自己的汉字掌握程度选择使用。

2）第2步　整理

大家可以通过"语法复习"（编号为①②…）确认在第1步中出现的初级语法，在"新语法"（编号为1 2…），"接续表达"（编号为Ⅰ Ⅱ…），"便利表达"（编号为〈1〉〈2〉…）部分学习中级阶段的新的语法与表达。本教材最后设有"语法复习"的小结，供大家检查自己掌握的情况。"新语法"，"接续表达"，"便利表达"均附有英语，汉语和韩语解释，还配有例句和练习。通过这些项目，大家可以巩固已学的但需要复习的内容，整理、消化新学到的。这些内容在第5步的课文中也会出现。各个语法点和表达项目注有课文中的行号，在哪里出现一目了然（例如"ス1［2］"表示第1步第2行）。

3）第3步　听

大家在这一步练习"听写"。"听写"部分会用到在第2步学习的语法和表达，使听力水平得到提高。

4）第4步　说．写

这一步练习"会话"，"角色扮演"，"演讲"，"座谈会"和"作文"。在"会话"，"角色扮演"部分，教材设定了多种场景，供大家在实战中练习会话。然后在"演讲"和"座谈会"环节表达自己的看法，再将其写成"作文"。通过这一系列训练，提高大家听，说，写的能力。

5）第5步　迎接挑战

这里收录了日语学习上的先行者就日本人和日本社会等用日语写成的文章，供大家阅读。这些文章的目标读者是日本人，因此难度较第1步中的课文大，但是所用的语法和表达是相同的。第5部的课文同样有"不注汉字读法"和"注出汉字读法"两种，请大家根据自己的汉字掌握程度选择使用。预习第5步时可使用"预习任务单"，找出文章作者关于日本人和日本社会的感受和看法。学习者或许有与之类似的或者完全不同的体验。

4．词汇

这里列出"开篇"，第1课～第6课和"尾声"出现的，要求能读出、听懂的词汇，按其在课文中出现的顺序排列。中级日语学习阶段特别重要的词汇标注有以下记号。

　　**应当会读，会写的词语（必须会写的词汇）

　　*应当会读的词语（应当在听，读时理解其意义的词汇）

词语旁 [ ] 中的数字是课文的行号（图表、数据则分别以 [グ] [デ] 表示）。可由此知道该词语最早出现的位置。

5．语法复习

第2步供大家复习初级语法时使用。这里选出了中级日语中需要进一步巩固练习的初级语法。语法复习附有英语，汉语和韩语的简短翻译和例句。大家可由此掌握使用该语法的场合，梳理相关形式，练习造短句。

6．"听写"参考答案

这里给出第3步"任务"[2]的参考答案，可用来确认自己是否听得准确无误。

7．"会话"的简体举例

第4步的"会话"怎样改成朋友间谈话的形式？这里给出简体说法的示例。可由比确认敬体说法与简体说法的不同。

8．词汇索引、语法·表达索引

全书最后附有"词汇"和"语法，表达"索引。

9．学习辅助网站

可从本网站下载标有 的部分（第1步和第5步的"课文"，第3步的"听写"，第4步的"会话"，"会话"的简体举例等）的音频资料。请注意感受日语自然的节奏和丰富的语调。

第1步和第5步的"预习任务单"，第2步的"新语法"，第3步的"任务"，"复习语法"各部分的参考答案，以及第3步的"听写"的录音文字也均可从本网站下载。

이 교재의 학습자에게

1. 교재의 목적

이 책은 중급 일본어 교재입니다. 일본어를 배우는 여러분이 일본에서 유학을 하게 되면 분명 관심을 가질 만한, 일본인이나 일본 사회에 대한 여러 정보를 이 책을 통해 읽거나 듣게 됩니다. 또 그것을 토대로 자신의 의견을 말하거나 쓰기도 하게 됩니다. 초급 문법을 복습하면서 중급 수준 이상의 일본어 학습을 무리없이 진행하도록 되어 있습니다. 일본에서 유학을 할 때 보고 들어서 경험할 수 있는 여러 가지 일들을 이 교재를 통해서도 체험해 보기 바랍니다.

2. 교재의 구성

이 교재는 일본에서 유학할 때의 경험을 6가지로 선별했습니다. 먼저 '시작하며(はじめに)'를 읽어 주세요. '시작하며'는 일본에 도착했을 때 유학생이 쓴 메일입니다. 이 메일로 앞으로 여러분이 이 교재에서 공부할 것들을 생각합니다. 제1과부터 제6과는 유학생이 경험한 여러 가지 일들입니다. 마지막으로 '끝내며(おわりに)'는 여러 가지 경험을 한 후에 유학생이 쓴 메일입니다. 이 메일을 읽고 교재의 정리 활동을 합니다.

시작하며	"일본에 도착했습니다"	제4과	생활에 익숙해지기
제1과	사람과 만나기	제5과	경험을 뒤돌아보기
제2과	꿈을 말하기	제6과	있을 곳을 찾기
제3과	차이를 생각하기	끝내며	"잘 지내고 있어요"

그 다음에 아래와 같은 부분이 있습니다.

- 복습 문법(復習文法)
- '청취' 해답
- 격식없는 '대화' 스타일 예
- 어휘 색인
- 문법·표현 색인

웹사이트(https://www.utp.or.jp/special/myeyes/)에는 다음과 같은 부분이 있습니다.

- 음성
- '예습 시트', '새로운 문법', '태스크', '복습 문법'의 해답
- 스크립트

3. 각 과의 구성

각 과는 다음 5부분으로 나눠져 있습니다.

1) 스텝 1 읽어보자!

해당 과의 주제와 관련된 본문을 소개합니다. 스텝 1의 본문 예습에는 '학습 시트'를 사용해 주세요. 본문에는 한자 읽기에 대해 '후리가나가 없는 것'과 '후리가나가 있는 것'이 있습니다. 여러분의 한자 능력에 맞춰 사용하기 바랍니다.

2) 스텝 2 정리해보자!

스텝 1에 나오는 초급 문법을 '복습 문법(復習文法)'(①②…번호)에서 확인하고, '새로운 문법(新しい文法)'(1️⃣2️⃣…), '연결 표현(接続表現)'(1️⃣2️⃣…), '편리한 표현(便利な表現)'(①②…)에서는 새로운 중급 문법과 표현을 배웁니다. '복습 문법'은 교재의 뒷부분에 정리해 두었으므로 기억하고 있는지 확인합시다. '새로운 문법'과 '연결 표현', '편리한 표현'에는 영어, 중국어, 한국어로 된 설명과 예문 및 연습이 있습니다. 이를 사용하여 알고 있는 것과 한

번 배웠지만 복습이 필요한 것, 새로 학습할 것 등을 각각 정리합시다. 스텝 2에 나오는 문법과 표현 등은 스텝 5의 본문에서도 사용됩니다. 문법이나 표현에는 본문의 줄 번호를 붙였으므로 어디에서 나왔는지를 알 수 있습니다 (예를 들어 ス1[2]는 스텝 1의 2번째 줄을 나타냅니다).

3) 스텝 3 들어보자!

'듣기(聴き取り)' 연습을 합니다. '듣기'는 스텝 2에서 배운 문법 및 표현을 사용하고 있습니다. 듣기 실력이 늘어납니다.

4) 스텝 4 말해보자! 써보자!

'대화(会話)', '롤 플레잉(ロールプレイ)', '스피치(スピーチ)', '좌담회(座談会)', '작문(作文)'을 연습합니다. '대화' 및 '롤 플레잉'에서는 다양한 장면을 설정하여 실제로 이야기를 해 봅니다. 그리고 '스피치'와 '좌담회'로 자신의 의견을 말하고, 그 내용을 '작문'합니다. 이렇게 함으로써 말하기, 쓰기 능력이 늘어나게 됩니다.

5) 스텝 5 도전해보자!

여러분의 일본어 선배들이 일본인이나 일본 사회에 대해 일본어로 쓴 글을 같이 읽어 봅시다. 일본인을 대상으로 쓴 글이므로 스텝 1에 나온 본문보다 어렵지만, 사용된 문법이나 표현은 기본적으로 똑같습니다. 스텝 5의 본문에도 한자 능력에 맞춰 읽을 수 있도록 '후리가나가 없는 것'과 '후리가나가 있는 것'이 있습니다. 스텝 5를 예습할 때도 '학습 시트'를 사용해 주세요. 그리고 선배들이 일본인과 일본 사회를 어떻게 느끼고 생각했는지를 찾아보기 바랍니다. 여러분과 똑같은 경험도 있을 것입니다. 아니면 전혀 다른 경험이 있을 지도 모릅니다.

4. 어휘

'시작하며', 제1과~제6과, '끝내며'에는 읽기와 듣기를 위한 어휘 목록이 있습니다. 어휘는 본문에 나오는 순서대로 되어 있습니다. 특히 중급 일본어 학습에 도움이 되는 것에는 아래와 같은 표시가 붙어 있습니다.

　　** 읽고 쓰는 데 필요한 어휘 (쓸 줄 알아야 하는 어휘)
　　* 읽고 쓰는 데 편리한 어휘 (읽고 쓸 때 뜻을 아는 편이 좋은 어휘)

어휘에 붙어 있는 [　] 안의 숫자는 본문의 줄 번호입니다(그래프와 데이터는 [グ]와 [デ]로 나타냈습니다). 어느 부분에서 처음 나왔는지 알 수 있습니다.

5. 복습 문법

스텝 2에서 초급 문법을 복습하기 위해 사용합니다. 중급 일본어에서 좀 더 연습이 필요한 초급 문법을 선별했습니다. 복습 문법에는 영어, 중국어, 한국어로 된 간단한 해석과 예문을 추가했습니다. 어떨 때 해당 문법을 사용할 지를 생각하고, 형태를 정리한 후에 짧은 문장을 만드는 연습이 있습니다.

6. '청취' 해답

스텝 3의 '태스크'[2]의 해답입니다. 제대로 알아 들었는지 아닌지 확인할 때 사용하기 바랍니다.

7. 격식없는 '대화' 스타일 예

스텝 4의 '대화'를 친구와 격식없이 대화한 예도 있습니다. 정중한 대화와의 차이를 확인해 봅시다.

8. 어휘 색인과 문법·표현 색인

교재 뒷부분에는 '어휘'와 '문법·표현'의 색인이 있습니다.

9. 학습을 지원하는 웹사이트

🎧가 붙어 있는 부분(스텝 1과 5의 '본문', 스텝 3의 '청취', 스텝 4의 '대화' 및 격식없는 '대화' 스타일 예 등)의 음성 파일을 웹사이트에서 다운로드할 수 있습니다. 일본어의 자연스러운 리듬이나 표현이 풍부한 억양을 들어보기 바랍니다.

스텝 1과 5의 '예습 시트', 스텝 2의 '새로운 문법', 스텝 3의 '태스크', '복습 문법' 각각의 해답, 그리고 스텝 3의 '청취' 스크립트도 다운로드할 수 있습니다.

この教科書をお使いになる先生方へ

1　教科書のねらい

　この教科書は、日本語の中級レベルにおいて、四技能を総合的に伸ばすために開発されました。また、学習者が初級の文法を復習しつつ、読み書き活動が活発に行われる中級以降の学習に無理なく移行し、日本語で自ら発信する技術を習得することをねらいとしています。そのために、1つの課で視点の異なる複数の資料（読解、音声など）を提供し、それらをもとにした知的営みに向けて、具体的な教室活動ができるように構成されています。

2　教科書のテーマ

　この教科書には、学習者が日本に留学したときの体験を想定し、「わたしの見つけた日本」というテーマに関連させた6つの課が収められています。日本で留学を経験中の学習者の方にはもちろん、海外の日本語教育の現場でも活用していただけるような内容です。

　6つの課はいずれも学習者が日本語運用能力を高めながら、日本社会・日本人との接触、そこから生じる相互の理解という課題に注意を喚起するように構成してあります。ただし、最終的にどのような個別の結論を導き出すかは学習者の自由ですので、どの課もあらかじめ決められた答えはありません。

3　教科書の構成

　まず「はじめに」で、日本に到着した留学生のメールを通じて、日本留学という本書の設定を紹介することで、教科書の導入を行います。第1課から第6課では、留学経験の深まりとともに出会うと予想される日本社会・日本人との接触に関するトピックを選びました。「おわりに」は、来日から半年を過ごした留学生のメールを載せています。いろいろな体験をした留学生の視点から、この教科書のまとめの活動を行います。

　この教科書には、学習をサポートするウェブサイト（https://www.utp.or.jp/special/myeyes/）があります。そこからは、音声教材や練習問題の解答例などをダウンロードして使用できます。

4　各課の構成

　日本国内そして海外でも共通して、日本語学習歴、日本体験歴の浅い学習者が、日本語学習に寄せる期待の中で最も高いものは、日本文化の紹介、日本人とのコミュニケーションなどです。第1～6課は、「日本」「発見」をキーワードとして、多くの学習者が関心を持ち、また日本で遭遇するような場面を切り取りながら展開します。各課は大きく5つの部分からなります。

（1）ステップ1　読もう

　編著者による書き下ろしの読解教材を通じて、その課のトピックを提示します。ここで取り上げる文法と表現は、ステップ5の生教材を読むためのものです。内容理解に予習シートを活用してください。

（2）ステップ2　整理しよう

　ステップ1と5で提示される文法と表現について、その解説と練習が載っています。復習が必要であろう初級レベルの文法は「復習文法」として巻末にまとめています。中級レベルの新規文法は「新しい文法」「接続表現」「便利な表現」として収められています。いずれも、英語・中国語・韓国語の解説を付し、例文はできるだけ初級の語彙を使用し、学習者が文法理解に集中できるよう工夫しました。練習では語彙の負担をできるだけ軽くするために、必要なものに語彙のリストを付けています。

（3）ステップ3　聞こう

　ステップ1と関連したトピックについて、聞き取りの練習を行います。聞き取りの練習から得た情報を活用して、ステップ4では学習者が自らの経験を振り返ったり、自分の意見をまとめて話したり、書いたりするという活動につなげていきます。

（4）ステップ4　話そう・書こう

　ステップ1と関連したトピックについて、会話練習、スピーチなどの活動と作文の活動があります。どれもステップ1と5で提示されている文法と表現を駆使して展開することができます。話す活動および書く活動に関して、何ができるようになればよいのか、その「目標」と談話機能を示しました。

（5）ステップ5　挑戦しよう

　日本語を使って、日本社会に情報発信している外国人は少なくありません。ここでは、そうした人たちの手による読み物を採用しました。かつて日本語学習者だった著者たちが発信する日本語、そして彼らの日本人および日本文化へのまなざしは、いろいろな点で学習者に刺激を与えることを確信しています。日本語母語話者向けに発信された情報なので、難易度も高くなりますが、予習シートを活用して、ぜひ挑戦してください。

5　ステップ1、5のフリガナ

　この教科書の対象とする学習者レベルは、漢字圏か非漢字圏かなど学習背景によって、漢字の習熟度に差が見られることがあります。そこで漢字語彙の学習歴に由来する、読みの負担の差を軽減するために、ステップ1と5を「フリガナなし」「フリガナつき」の2種類で提示しました。学習者が自らの漢字力に応じて選択することで、実際の授業活動が円滑に進められ、最終的に「フリガナなし」を読むことへの抵抗感を少なくするというねらいがあります。

6　語彙

　「はじめに」、第1課～第6課、「おわりに」には、語彙のリストがあります。語彙には、英

語・中国語・韓国語の訳を付しました。また、中級の日本語学習者にとって必要度が高いと思われるものに次のような印をつけました。

　**　話す・書くのに必要な語彙（書けなくてはいけない語彙）
　*　聞く・読むのに便利な語彙（聞いたり読んだりするときに意味が分かったほうがいい語彙）

7　復習文法

　ステップ2で、この段階で復習が必要であろう初級レベルの文法を復習するために使います。英語・中国語・韓国語の訳、さらに例文と練習を付けました。復習文法は初出の箇所で取り上げているため、この教科書は第1課から順に進めていただければと思います。

8　「聞き取り」の答え、「会話」のインフォーマル・スタイル例、語彙索引、文法・表現索引

　巻末には、ステップ3の「タスク」［2］の答え、ステップ4の「会話」を友達とのインフォーマルな会話にした例、さらに「語彙」「文法・表現」の索引があります。適宜活用してください。

9　学習をサポートするウェブサイト

　がついた部分（ステップ1と5の「本文」、ステップ3の「聞き取り」、ステップ4の「会話」、「「会話」のインフォーマル・スタイル例」など）の音声をウェブサイトからダウンロードできます。日本語の自然なリズムや表現豊かなイントネーションを聞いてください。

　ステップ1と5の「予習シート」、ステップ2の「新しい文法」、ステップ3の「タスク」、「復習文法」それぞれの答え、またステップ3の「聞き取り」のスクリプトもダウンロードできます。

11　使い方の例

　本教科書は、42～70時間（90分授業で28～45コマ）の活用を想定しています。次のように集中コース、短期コースなどの目的に応じて、柔軟に授業計画が立てられます。

（1）集中コース（1コマ90分、週4コマ）の例

　1週間4コマのうち、2コマを読み方（ステップ1、5）、1～2コマを文法（ステップ2）、1～2コマを聞き方・話し方・書き方（ステップ3、4）にあてることを基本とします。「はじめに」を1コマ、各課をテストも含めて2週間、「おわりに」を1コマ、合計7～10週間で修了します。サマースクールの集中コースなどが想定されます。

（2）短期コース（1コマ90分、週3コマ）の例

　週3コマを、読み方と話し方を中心とした活動にあてます。1課を2週間使用し、テストなども入れて13～15週で本書を修了します。

文法の記号 (Abbreviations Used in Grammar)

記号	意味	例
N	名詞；noun	本、日本語、大学、学生
AN	ナ形容詞；adjectival noun	きれいだ、元気だ、しずかだ
A	イ形容詞；adjective	大きい、新しい
V	動詞；verb	する、くる、見る、読む
copula	だ	だ
S	文；sentence	わたしは学生だ。勉強はおもしろい。毎日、本を読む。
S(plain)	普通体（だ・ある体）で終わる文；sentence ending in a plain form (short form) of a predicate	本だ、本だった、本じゃない、本じゃなかった；大きい、大きくない、大きかった、大きくなかった；読む、読まない、読んだ、読まなかった
Predicate	述語（名詞だ、形容詞、動詞）	学生だ；大きい；きれいだ；する
V(stem)	動詞のマスをとった形	し、き、食べ、読み
A(stem)	イ形容詞のイをとった形	大き、新し、おもしろ
AN(stem)	ナ形容詞のダをとった形	きれい、元気、しずか
V-る	動詞の辞書形；verb dictionary form	する、くる、見る、食べる、読む
V-て	動詞のテ形；verb gerund form	して、きて、見て、食べて、読んで
V-た	動詞のタ形；verb past form	した、きた、見た、食べた、読んだ
V-ない	動詞のナイ形；verb negative form	しない、こない、見ない、食べない、読まない
V-(y)oo	動詞の意志形；verb volitional form	しよう、こよう、見よう、食べよう、読もう
たら-form	述語の仮定形；predicate conditional form	本だったら、本じゃなかったら；大きかったら、大きくなかったら；したら、しなかったら

はじめに

「日本に着きました」

- 日本語の先生へのメール
- 日本でどのような経験をするでしょうか？
- この教科書のテーマとあなたのイメージ

日本語の先生へのメール

あなたは日本に行ったことがありますか。それとも今、日本にいますか。次のメールを読んでみましょう。

差出人：アンドリュー・ウィルソン

件名：日本に着きました（アンディ）

日時：20XX年10月5日

ジョンソン先生

こんにちは。お元気ですか。

アメリカでは、日本語を教えていただいて、ありがとうございました。無事に日本に着いて、大学の寮に入りました。

きのう、日本語の授業が始まりました。クラスメートは、世界のいろいろな国から来ています。この授業では、日本語で話さなくてはいけないので、大変ですが、いい勉強になると思います。

日本人のチューターも決まりました。専攻は私と同じで、経済学部の学生です。初めての外国生活ですから、分からないことや、なれないことがたくさんあるかもしれません。でも、これからの生活がとても楽しみです。いっしょうけんめいがんばります。

またメールします。

お元気で。

アンディ

[1] だれがだれに書きましたか。どのような関係ですか。

[2] これを書いた人は、今どこにいますか。

[3] これを書いた人は、どのような生活を始めましたか。どのような人との出会いがありましたか。

[4] これを書いた人は、これからの生活についてどのように思っていますか。どこから分かりますか。

● 語彙 ●

差出人	sender	寄件人	발송인	[1]
件名	subject	邮件标题	제목	[2]
*日時	date and time	日期和时间	날짜	[3]
*無事に	safely	平安地	무사히	[6]
*寮	dormitory	宿舍	기숙사	[7]
**世界	world	世界	세계	[8]
チューター	tutor	辅导人员；指导员	튜터	[11]
*専攻(する)	one's major, specialty (to specialize in)	专业，专攻	전공(하다)	[11]
**経済	economics	经济	경제	[11]
*学部	department, school	系，学院	학부	[11]
**なれる	to get used to, get accustomed to	习惯于	익숙해지다	[12]

日本でどのような経験(けいけん)をするでしょうか？

あなたは、日本に着(つ)いてからどのような経験(けいけん)をすると思いますか。今、日本にいる人は、日本に来たときのことを思(おも)い出(だ)してみましょう。次(つぎ)のイラストから好(す)きなものを選(えら)んで話してください。

①

②

③

④

⑤

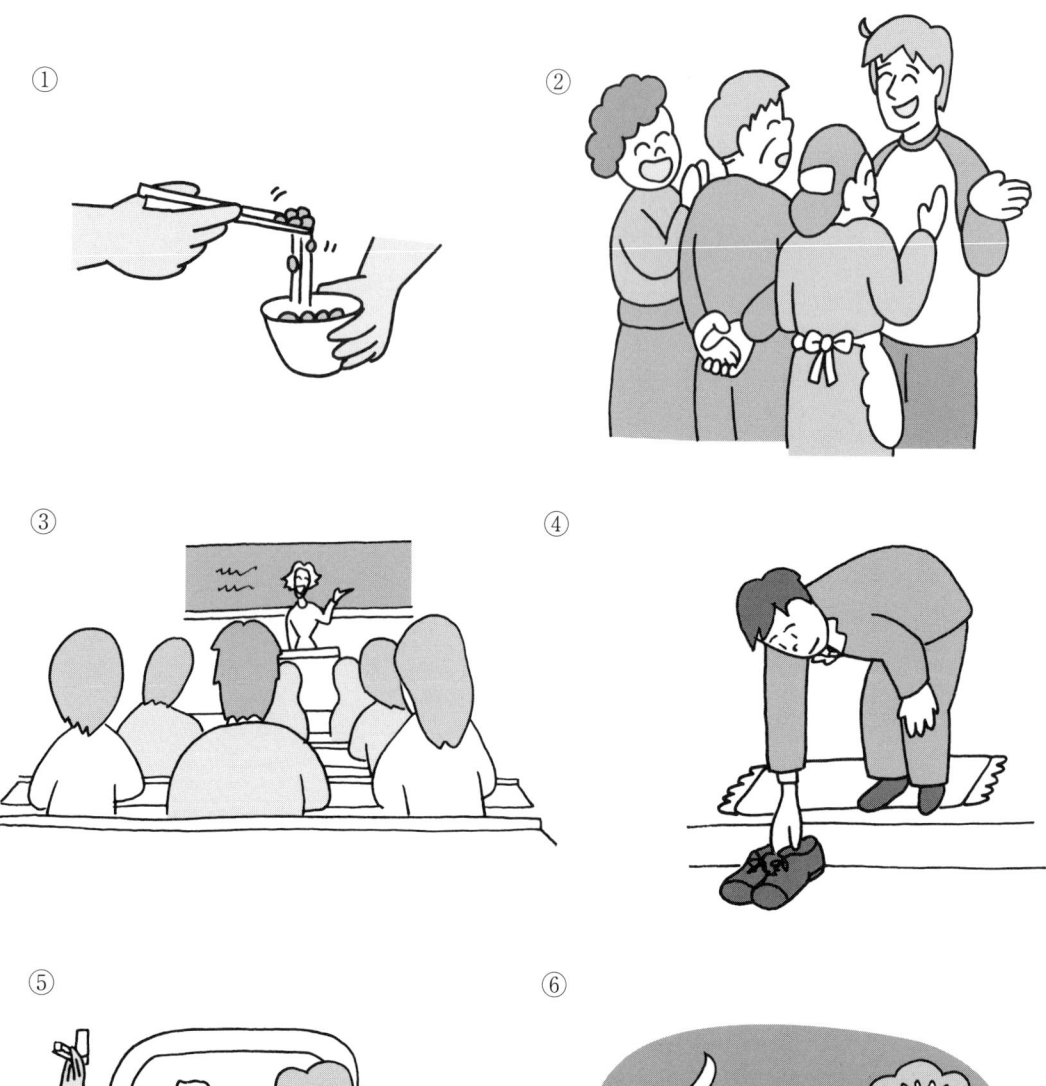

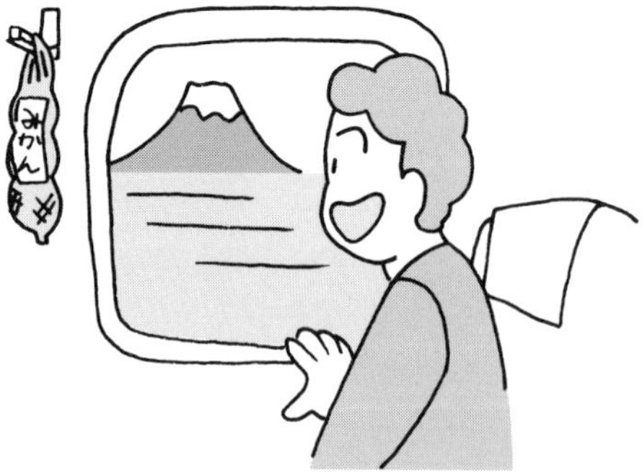

⑥

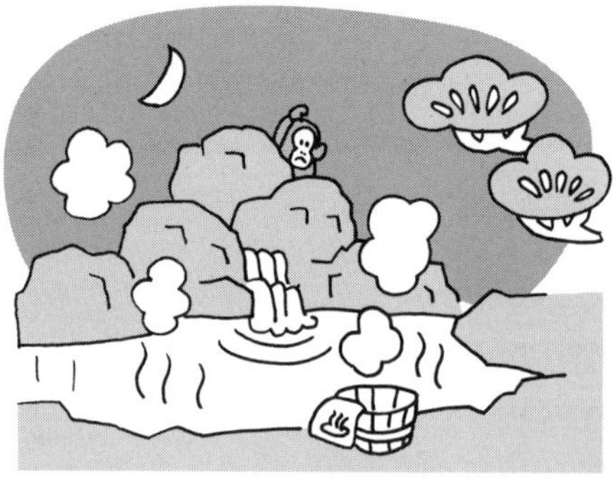

はじめに 「日本に着きました」●5

● 語彙 ●

| ** 経験(する) けいけん | experience (to experience) | 经历 | 경험(하다) |

この教科書のテーマとあなたのイメージ

あなたが選んだイラストは、次のどのキーワードと関係があると思いますか。その番号をことばの右に書いてください。いろいろなキーワードと関係があっても大丈夫です。

キーワード　　　　　　　　　イラスト番号

人と出会う　　　………　＿＿＿＿＿＿＿＿＿＿

夢を話す　　　　………　＿＿＿＿＿＿＿＿＿＿

違いを考える　　………　＿＿＿＿＿＿＿＿＿＿

生活になじむ　　………　＿＿＿＿＿＿＿＿＿＿

経験をふりかえる　………　＿＿＿＿＿＿＿＿＿＿

居場所を見つける　………　＿＿＿＿＿＿＿＿＿＿

この教科書で日本語を勉強しながら、これから日本で経験するかもしれないことや、これまで日本で経験したことを考えてみましょう。

● 語彙 ●

**夢	dream, hope, wish	梦想，希望	꿈
ふりかえる	to look back	回头看	돌아보다
居場所	place where one belongs, place where one can be oneself	住处	있을 곳, 거처

第1課

人と出会う

ステップ❶ 読もう
「初めての日本体験」
■予習シート ■本文

ステップ❷ 整理しよう
文法と表現
■この課の文法と表現 ■新しい文法①〜⑦ ■接続表現①〜③ ■便利な表現①〜②

ステップ❸ 聞こう
「身近な異文化体験」
■タスク ■聞き取り

ステップ❹ 話そう・書こう
「日本語クラスでの経験」
「日本語の勉強をはじめたきっかけ」
■目標 ●できごとの説明ができるようになる
■会話1 ■会話2 ■ロールプレイ ■スピーチ ■作文

ステップ❺ 挑戦しよう
「日本人の道案内のすばらしさ」
■予習シート ■本文

ステップ❶ 読もう

「初めての日本体験」
　　　　はじ　　　　たいけん

予習シート
　　よしゅう

読む前に

[1] あなたが初めて日本に来たのはいつですか。
　　　　　　はじ

[2] そのときのことで、どのようなことをおぼえていますか。

読みながら

[1] ジェームスさんが初めて日本に来たのはいつですか。

[2] どうして日本に来ましたか。

[3] どのようなところにとまりましたか。

[4] ジェームスさんは日本語が話せましたか。どのようにコミュニケーションをしましたか。

[5] どのようなおもしろい経験をしましたか。
　　　　　　　　　　　　　けいけん

[6] どうしてそんな経験をしたと思いますか。

[7] ジェームスさんはどうして日本が好きになったと思いますか。
　　　　　　　　　　　　　　　　　　す

読んだ後で
　　　　あと

[1] あなたの日本での経験を教えてください。
　　　　　　　　　　　　おし

本文

フリガナなし

初めての日本体験　　　　　　　　　　　　　　　　ジェームス・ダウナー　[1]

　ぼくは高校生のときに海外旅行で日本に来ました。ぼくには日本は初めての外国でした。日本を選んだのは、自分の言葉がまったく通じない世界に入ったら自分がどうなるかを知りたかったからです。ぼくは農業体験プログラムで、農家にホームステイをしました。[5]

　言葉が通じない世界で、ボディー・ランゲージはとても便利でした。ぼくは日本語が分からなかったし、ホームステイ先の田中さんはぼくの言葉が分からなかったので、「おなかがすいた」「何か飲みたい」など、ほとんどボディー・ランゲージでコミュニケーションをしました。

　ぼくが手伝ったのはキャベツの収穫でした。田中さんの家族はみんないつも忙しそ [10]
うにしていましたが、親切にしてくれました。ある日、田中さんは「ジェームス！」と遠くからさけんで、手を動かしました。ちょうどそのとき、ぼくは収穫したキャベツを田中さんのところへ運ぼうとしていたところでした。でも、ぼくはそれを見て、「向こうへ行って」という意味だと思って遠くに走りました。すると、田中さんはまた「ジェームス！」と大きな声でさけんで、もっと大きく手を動かしました。ぼくは [15]
さらに遠くへ走りました。どんどん遠くへ走りました。

　すると、田中さんはなぜかぼくの方に走ってきて、ポカッとぼくの肩をたたき「ばか！」と言いました。田中さんは「お茶の時間だから、こっちへ来て」と言いたかったようです。

　今思うとおかしな話ですが、そのころのぼくは日本語がまったく分かりませんでし [20]
た。だから、ぼくの国で「あっちへ行け」という意味のボディー・ランゲージが、日本で「こっちに来て」という意味だということが分かるはずがありません。

　「ばか」と言われたのはいやでしたが、人というのは、何がきっかけで仲よくなるか分からないものです。ぼくの場合、これがきっかけで、田中さん一家とすっかり仲

よくなったし、2週間のホームステイで日本が大好きになったのです。これが、ぼくの初めての日本体験です。

（ジェームスの作文）

フリガナつき

初めての日本体験　　　　　　　　　　　　　　　ジェームス・ダウナー

　ぼくは高校生のときに海外旅行で日本に来ました。ぼくには日本は初めての外国でした。日本を選んだのは、自分の言葉がまったく通じない世界に入ったら自分がどうなるかを知りたかったからです。ぼくは農業体験プログラムで、農家にホームステイをしました。

　言葉が通じない世界で、ボディー・ランゲージはとても便利でした。ぼくは日本語が分からなかったし、ホームステイ先の田中さんはぼくの言葉が分からなかったので、「おなかがすいた」「何か飲みたい」など、ほとんどボディー・ランゲージでコミュニケーションをしました。

　ぼくが手伝ったのはキャベツの収穫でした。田中さんの家族はみんないつも忙しそうにしていましたが、親切にしてくれました。ある日、田中さんは「ジェームス！」と遠くからさけんで、手を動かしました。ちょうどそのとき、ぼくは収穫したキャベツを田中さんのところへ運ぼうとしていたところでした。でも、ぼくはそれを見て、「向こうへ行って」という意味だと思って遠くに走りました。すると、田中さんはまた「ジェームス！」と大きな声でさけんで、もっと大きく手を動かしました。ぼくはさらに遠くへ走りました。どんどん遠くへ走りました。

　すると、田中さんはなぜかぼくの方に走ってきて、ポカッとぼくの肩をたたき「ばか！」と言いました。田中さんは「お茶の時間だから、こっちへ来て」と言いたかったようです。

　今思うとおかしな話ですが、そのころのぼくは日本語がまったく分かりませんでした。だから、ぼくの国で「あっちへ行け」という意味のボディー・ランゲージが、日本で「こっちに来て」という意味だということが分かるはずがありません。

　「ばか」と言われたのはいやでしたが、人というのは、何がきっかけで仲よくなるか分からないものです。ぼくの場合、これがきっかけで、田中さん一家とすっかり仲

よくなったし、2週間のホームステイで日本が大好きになったのです。これが、ぼくの初めての日本体験です。

(ジェームスの作文)

● 語彙 ●

*体験(する)	experience (to experience)	体验	체험(하다), 경험(하다)	[1]
*海外旅行	travel abroad	海外旅行	해외 여행	[2]
**選ぶ	to select	选择	선택하다	[3]
*通じる	to communicate, get across, make oneself understood	互通，使对方理解，领会	통하다, 이해하다	[3]
*農業	agriculture	农业	농업	[4]
*農家	farmer, farmer's house	农民	농가	[4]
*ホームステイ	homestay	住宿在国外普通居民家(作为一种旅游、留学的方式)	홈스테이	[4]
ボディー・ランゲージ	body language	身体语言	바디 랭귀지	[6]
*キャベツ	cabbage	卷心菜	양배추	[10]
*収穫(する)	harvest (to harvest)	收获	수확(하다)	[10]
*さけぶ	to shout	喊叫	소리치다	[12]
手を動かす	to move / wave one's hand	挥手，动手	손을 움직이다	[12]

** 運ぶ(はこ)	to carry	搬运	나르다	[13]
** すると	and (just then)	于是就，那么说	그러자	[14]
** どんどん	farther and farther	连续不断的样子	점점	[16]
ポカッと	(to pat) lightly	嘭（用拳头，棍子等轻轻敲击的声音）	툭하고	[17]
* 肩(かた)	shoulder	肩膀	어깨	[17]
* たたく	to pat, hit	敲击	치다	[17]
* ばか(な)	idiot, fool	蠢(人)	바보(같은)	[17]
* 今思うと(いまおも)	looking back, in retrospect	回想起来	지금 생각하면	[20]
おかしな	funny, comical	可笑的，滑稽的	웃긴, 재미있는	[20]
～はずがない	☞New Grammar 5	☞新语法 5	☞새로운 문법 5	[22]
～というのは	☞New Grammar 6	☞新语法 6	☞새로운 문법 6	[23]
きっかけ	trigger, motive, cause, reason	契机，动机，原因，理由	계기	[23]
* 仲よく(なか)	in good terms with someone	（与某人）关系要好地	사이좋게	[23]
～ものだ	☞New Grammar 6	☞新语法 6	☞새로운 문법 6	[24]
** 場合(ばあい)	case circumstance	情况，场合	경우	[24]
** すっかり	completely, quite, perfectly	完全地	완전히	[24]

ステップ❷ 整理しよう
文法と表現

この課の文法と表現

復習文法

初級で勉強した文法をチェックしましょう。忘れていたら、復習しましょう。

☞ **復習文法** [218頁]

① V/A/AN(stem)-そうだ(様態)	ス1 [10]
② V-てくれる/あげる/もらう(授受)	ス1 [11]　ス5 [3, 20, 21, 22]
③ V-(y)oo(意志)	ス1 [13]
④ V-てくる(移動)	ス1 [17]　ス5 [17]
⑤ S(plain)ようだ(推量)	ス1 [18]　ス5 [7]
⑥ 受身(passive)	ス1 [23]　ス5 [7, 23]
⑦ S(plain)のだ	ス1 [25]　ス5 [7, 10, 24]

新しい文法

1 S(plain)のは〜だ	ス1 [2, 10]　ス5 [2, 15, 16, 23]
2 A/AN(stem)-そうにしている	ス1 [10]　ス5 [18]
3 V-(y)ooとする	ス1 [13]　ス5 [15]
4 Vところだ	ス1 [13]　ス5 [16]
5 S(plain)はずがない	ス1 [22]　ス5 [11]
6 NというのはS(plain non-past)ものだ	ス1 [23]　ス5 [3]
7 V-てくる(変化)	ス1 [17]　ス5 [20]

接続表現

1. すると ス１[14, 17]　ス５[7]
2. まして(や) ス５[11]
3. そのうえ ス５[22]

便利な表現

① そう言えば ス５[2, 15]
② 今思うと ス１[20]　ス５[8]

新しい文法 1～7

1　S(plain)のは～だ　　ス１[2, 10]　ス５[2, 15, 16, 23]

it is ~ that S
S的是～
S 것은 ~이다

> This pattern corresponds to 'It is ~ that …' in English. It places a special emphasis on something (~) and makes it the focal point of the sentence, thereby offering new information to the listener. ~ can be a noun phrase like 田中さん as in 私が東京で会ったのは田中さんだ or a noun phrase followed by a particle other than が and を such as 東京で as in 田中さんに会ったのは東京でだ.
>
> 这个句型相当于英语的 'It is ~ that …'，将新信息~作为焦点，向听话人进行强调。~可以是名词短语，如「私が東京で会ったのは田中さんだ」中的「田中さん」；也可以是带除「が」「を」外的助词的名词短语，像「私が田中さんに会ったのは東京でだ」中的「東京で」。
>
> 이 표현은 영어의 'It is ~ that …'에 해당하는 것으로, 새로운 정보 ~에 초점을 맞춰서 듣는 이에게 강조할 때 사용합니다. ~에는 '私が東京で会ったのは田中さんだ(내가 도쿄에서 만난 것은 다나카 씨이다)'의 '田中さん'과 같은 명사구나, '私が田中さんに会ったのは東京でだ(내가 다나카 씨를 만난 것은 도쿄에서다)'의 '東京で'처럼 명사구에 'が'와 'を' 이외의 조사가 붙은 표현이 옵니다.

［例］　a．日本で一番人口が多いのは、東京です。　　　　　　　　　　　　　[1]

　　　　b．日本を選んだのは、自分の言葉がまったく通じない世界に入ったら自分がどうなるか知りたかったからです。

　　　　c．ぼくが手伝ったのはキャベツの収穫でした。

[練習１]　　　　　　　　　　　　　　　　　　　　　　　　　　　　　　　　　　　　　　[5]

1．私が行ってみたいのは_____だ。

2．私が日本に留学したのは_____からだ。
　　　　　りゅうがく

3．_____のは_____だ。

[練習２]

1．Ａ：将来何になりたいですか。　　　　　　　　　　　　　　　　　　　　　　　　　[10]
　　　しょうらい
　　Ｂ：そうですね。（私が_____のは）_____です。

2．Ａ：外国人の友だちを案内したいんですが、おすすめはどこですか。
　　　　　　　　　　あんない
　　Ｂ：そうですね。_____のは_____です。

3．Ａ：これ、全部Ｂさんが作ったんですか。
　　　　　　ぜんぶ
　　Ｂ：いいえ、_____のは、このケーキだけです。　[15]

● 語彙 ●
　　ごい

人口	population	人口	인구	[1]
じんこう				
おすすめ	recommendation	推荐	추천	[12]

② A/AN (stem)-そうにしている　　　　　　　　　　　　　　　ス１ [10]　ス５ [18]

> This pattern describes the condition of someone or some animate thing, reflecting his/her/its inner feelings or state of mind. Examples are あの子はうれしそうにしている that 'child acts as if (s)he is happy' and あの人は忙しそうにしている that 'man behaves as if he is busy'. Note that this pattern cannot be used with a V(stem). There is a similar pattern V/A/AN-そうだ（☞Chapter1, Grammar Review①）. The difference between the two patterns is that while V/A/AN-そうだ expresses the speaker's conjecture based on the observation made on the spot, A/AN-そうにしている is the speaker's objective description of someone's behavior or appearance reflecting his/her inner feelings.
>
> 这个句型表达客观地从人或动物等的外观、态度等观察其内在状态（感觉、感情等）。例如「あの子はうれしそうにしている」(那个孩子看起来很高兴)、「あの人は忙しそうにしている」(那个人看起来忙忙碌碌的) 等句子。与这个句型类似的有V/A/AN-そうだ（☞第１课，语法复习①）。二者的区别是，「V/A/AN-そうだ」表达的是说话人基于现场观察做出推断，而「A/AN (stem)-そうにしている」表达客观观察到的状态。另外，请注意动词不能用在「～そうにしている」这个句型里。

사람이나 동물과 같이 감정을 가지고 움직일 수 있는 대상의 내면이나 감정이 겉모습이나 태도로 인해 객관적으로 관찰되는 것을 나타냅니다. 대표적인 예로 'あの子はうれしそうにしている(저 아이는 기뻐하고 있다)'와 'あの人は忙しそうにしている(저 사람은 바빠하고 있다)'가 있습니다. 이 표현과 비슷한 것으로 'V/A/AN-そうだ'(☞제1과, 복습 문법①)가 있습니다. 둘의 차이는 'V/A/AN-そうだ'는 그 자리에서 관찰한 것을 근거로 하여 말하는 이의 추측을 나타내는데 비해, 'A/AN(stem)-そうにしている'는 객관적으로 관찰되는 상태를 나타냅니다. '~そうにしている'는 동사에는 사용할 수 없다는 점도 주의하기 바랍니다.

[例]　a．いつ会っても、あの人は暇そうにしている。

　　　b．あの子どもは遊びに行きたそうにしています。

　　　c．田中さんの家族はみんな忙しそうにしていた。

[練習1]

1．あの人、さっきから眠そうにしている。＿＿＿＿＿＿＿＿＿＿のかもしれない。

2．山口さんは＿＿＿＿＿＿そうにしていた。何かいいことがあったのだろう。

3．＿＿＿＿＿＿＿＿＿＿。＿＿＿＿＿＿＿＿＿＿＿＿＿＿＿＿。

[練習2]

1．A：きのう森さんに会ったんですね。元気でしたか。
　　B：ええ。仕事が決まったそうです。＿＿＿＿＿＿そうにしていましたよ。

2．A：山田さん、最近アルバイトをやめたそうですね。
　　B：そうですか。だから、授業が終わっても、＿＿＿＿＿＿＿＿そうにしているんですね。

3．A：リーさんは、きのう、＿＿＿＿＿＿＿＿そうにしていましたよ。
　　B：ええ、友だちが国に帰ってしまったからでしょうね。

● 語彙 ●

| ＊＊最近 | lately, recently | 不久前 | 요즘, 최근 |

第1課 人と出会う ● 17

3 V-(y) oo とする   ス1 [13] ス5 [15]

> This pattern expresses either that someone is about to do something, or that someone is trying to accomplish some action which (s)he is determined to do. V-よう is a volitional form of a verb (☞Chapter1, Grammar Review③). This is often used in the form of V-ようとした meaning that the aimed action was not accomplished. An expression with a similar meaning is V-てみる(to try ~ing). 食べてみた means that the speaker actually ate something, while 食べようとした means that (s)he has tried but has not touched it yet.
>
> 这个句型使用动词的意志形(☞第1课, 语法复习③), 表示某人具有做某事的意志, 并将付诸实际。常以「V-ようとした」的形式出现, 表示虽然做了努力, 但是动作没有实现。表示实际尝试成功时, 使用「V-てみた」。「食べてみた」和「食べようとした」的区别是, 前者有"实际吃到了"的意思, 而后者则是"未吃到"。
>
> 이 표현은 동사의 의지형(☞제1과, 복습 문법③)을 사용하여, 누군가에게 뭔가를 하려는 의지가 있고 노력을 하겠다는 것을 나타냅니다. 대부분의 경우 'V-ようとした'의 형태를 사용하여, 노력해야 실현되는 것을 나타냅니다. 실제로 시도한 경우는 'V-てみた'를 사용합니다. '食べてみた(먹어 봤다)'와 '食べようとした(먹으려고 했다)'의 차이는 전자는 '실제로 먹었다'는 뜻을 나타내지만, 후자는 '아직 안 먹었다'는 뜻을 나타냅니다.

[例]　a．電車に乗ろうとしたとき、ドアが閉まった。　　　　　　　　　　　　　　[1]

　　　b．嫌いな野菜を食べようとしたけど、食べられなかった。

　　　c．田中さんのところへ運ぼうとしていたところでした。

[練習1]

1．出かけようとしていたら、_____。[5]

2．_____としたが、眠くてできなかった。

3．_____。

[練習2]

1．A：眠そうですね。

　　B：ええ、ゆうべ寝ようとしたときに、_____。[10]

　　A：そうでしたか。

2．先生：きょうまでのレポート、できましたか。

　　学生：すみません。_____としたんですが、できませんでした。

3．A：新しい仕事は見つかりましたか。

　　B：いいえ、まだです。_____としているんですが、難しいんです。[15]

4 Vところだ

ス1 [13] ス5 [16]

> ところだ expresses an aspect of someone's movement. The preceding verb can be in the forms するところだ, しているところだ, and していたところだ. Imagine yourself watching a film or a DVD of someone's movement. 〜するところだ is like a still image on the screen just before someone starts executing the movement. 〜しているところだ is like a still image where someone is in the middle of some action or movement, and 〜したところだ is like a still image of someone who has just finished some action or movement.
>
> 「ところだ」表示某人或某物处在动作或变化的某个局面。根据前面的动词的形式，有「するところだ、しているところだ、したところだ」几种形式。请想象用DVD播放动作或状态的画面。「するところだ」表示即将进行某个动作前的静止画面，「しているところだ」表示动作或变化进行过程中暂停播放时得到的静止画面，而「したところだ」表示动作或变化终结时刻的静止画面。
>
> 'ところだ'는 사람이나 사물의 움직임이나 변화의 형세를 나타냅니다. 앞에 오는 동사의 형태에 따라 'するところだ、しているところだ、したところだ'가 있습니다. DVD에서 움직이는 영상을 재생하고 있는 경우를 예로 들면 이해하기 쉬운데, 'するところだ'는 뭔가를 하기 직전 단계에서 정지된 화면, 'しているところだ'는 움직이고 있는 도중에 멈췄을 때의 정지 화면, 그리고 'したところだ'는 움직임이나 변화가 끝난 시점에서의 정지 화면과 같은 상태를 나타냅니다.

[例]　a．今から勉強するところだ。　　　　　　　　　　　　　　　　　　　　　[1]

　　　b．勉強しているところだ。

　　　c．田中さんのところへ運ぼうとしていたところでした。

[練習1]

1．友だちが来るので、今＿＿＿＿＿＿＿＿＿＿＿＿＿＿＿＿＿＿ところだ。[5]

2．寝ないでレポートを書いて、さっき＿＿＿＿＿＿＿＿＿＿＿＿ところだ。

3．＿＿＿＿＿＿＿＿＿＿＿＿＿＿＿＿＿＿＿＿＿＿＿＿＿＿＿＿＿＿＿。

[練習2]

1．A：遊びに行かない？

　　B：ごめん。これから＿＿＿＿＿＿＿＿＿＿＿＿＿＿＿＿ところなんだ。[10]

2．A：もしもし、今から出かけない？

　　B：ごめん。今＿＿＿＿＿＿＿＿＿＿＿＿＿＿＿＿＿＿ところなんだ。

　　A：そう。じゃあ、また今度。

3．A：大山さんに連絡しましたか。

　　B：はい。さっき＿＿＿＿＿＿＿＿＿＿＿＿＿＿＿＿＿＿ところです。[15]

5 S(plain)はずがない

it should not be the case that S ; it is hardly possible that S
不可能～
S 리가 없다

> S(plain)はずだ expresses the speaker's conjecture based on some assumption. Its negative counterpart is not S(plain)はずではない but is S(plain)はずがない. S(plain)はずがない expresses the speaker/writer's denial of that conjecture. Depending on the context, は or も can be used instead of が such as in あの学生は、ひらがなが書けないはず<u>は</u>ないし、カタカナが読めないはず<u>も</u>ない. It should not be the case that that student cannot write Hiragana or read Katakana.
>
> 「S(plain)はずだ」表示说话人根据某些前提进行推测或推断。其否定式不是「S(plain)はずではない」，而是「S(plain)はずがない」，表示说话人判断某种推测没有成立的可能性。「～はずがない」中的助词「が」可以换用提示助词「は」「も」等，说成「～はずはない、～はずもない」，如「あの学生は、ひらがなが書けないはず<u>は</u>ないし、カタカナが読めないはず<u>も</u>ない」(那个学生既不可能会写平假名，也不可能会念片假名) 所示。
>
> 'S(plain)はずだ'는 말하는 이가 어떤 전제를 근거로 추측하거나 판단한 것을 나타내는데, 부정형은 'S(plain)はずではない'가 아니라 'S(plain)はずがない'를 사용하여, 말하는 이가 어떤 추측이 성립할 가능성이 없다고 판단한 것을 나타냅니다. 'あの学生は、ひらがなが書けないはず<u>は</u>ないし、カタカナが読めないはず<u>も</u>ない(저 학생은 히라가나를 못 쓸 리도 없고 가타카나를 못 읽을 리도 없다)'와 같이 '～はずがない'의 조사는 'が' 대신에 'は'나 'も'를 사용한 '～はずはない、～はずもない' 등도 가능합니다.

[例]　a．きょうは日曜日だから、銀行(ぎんこう)があいている**はずはない**。

　　　b．斉藤(さいとう)さんは大学生(だいがくせい)だ。小学生(しょうがくせい)の問題(もんだい)ができない**はずがない**。

　　　c．ぼくの国では「あっちへ行け」という意味(いみ)のボディ・ランゲージが、日本では「こっちに来て」という意味だと分(わ)かる**はずがありません**。

[練習 1]

1．こんなに勉強(べんきょう)したのだから、＿＿＿＿＿＿＿＿＿＿＿＿＿＿はずがない。

2．＿＿＿＿＿＿＿＿＿＿＿＿＿＿＿。そんな簡単(かんたん)な漢字が読めないはずはない。

3．＿＿＿＿＿＿＿＿＿＿＿＿＿＿＿＿＿＿＿＿＿＿＿＿＿＿＿＿＿＿＿＿。

[練習 2]

1．A：中村(なかむら)さん、遅(おそ)いですねえ。
　　B：きのう電話で話したから、＿＿＿＿＿＿＿＿＿＿はずはありません。

2．A：今度(こんど)の奨学金(しょうがくきん)の面接(めんせつ)、だいじょうぶかな。
　　B：だいじょうぶ、だいじょうぶ。

　　　　あんなに＿＿＿＿＿＿＿＿＿から、＿＿＿＿＿＿はずはありませんよ。

3. A：あれ、携帯がない。 [15]
   B：さっき＿＿＿＿＿＿＿＿＿＿から、＿＿＿＿＿＿＿＿＿＿はずはないよ。

● 語彙 ●

**問題	problems, issues	问题	문제	[2]
面接(する)	interview (to interview)	面试	면접(보다)	[12]
携帯	cell phone	手机，移动电话	휴대 전화	[15]

---

6 NというのはS(plain non-past)ものだ   ス1 [23, 24] ス5 [3]

as for N/speaking of N, it should indeed be S
N(呢)，S
N(이)라는 것은 S 법이다

> This pattern first introduces the topic the speaker has in mind and then provides the values or evaluation expressed in S, which is shared by the general population. It also conveys the speaker's full agreement with the content. In daily conversation, Nって can replace Nというのは.
>
> 这个句型用来导入说话人将要评述的话题(N)，并就该话题给出作为人们的一般共识的评价(S)。通过该句型，可以知道说话人也认同这一评价。在日常会话中，「Nというのは」也常说成「Nって」。
>
> 이 표현은 말하는 이가 앞으로 말하려는 화제(N)를 도입하고, 그 다음에 해당 화제에 대해 일반적으로 사람들이 공유하는 가치관이나 평가(S)를 말할 때 사용합니다. 말하는 이가 해당 내용을 납득하고 있다는 느낌이 전달됩니다. 일상 대화에서는 'Nというのは' 대신에 'Nって'도 사용합니다.

[例] a．おもしろいスピーチって難しいものですね。 [1]
      b．外国語を勉強するというのは、楽しいものです。
      c．人というのは、何がきっかけで仲よくなるか分からないものです。

[練習1]

1．外国での生活というのは、＿＿＿＿＿＿＿＿＿＿＿＿＿＿＿＿＿ものだ。 [5]
2．＿＿＿＿＿＿＿＿＿＿＿＿＿＿＿＿というのは、外国人には難しいものだ。
3．＿＿＿＿＿＿＿＿＿＿＿＿＿というのは、＿＿＿＿＿＿＿＿＿＿＿＿ものだ。

[練習 2]

1．A：アルバイトしてますね。どうですか。

　　B：アルバイトというのは、＿＿＿＿＿＿＿＿＿＿＿＿＿＿＿＿＿＿＿＿＿ものですね。　[10]

2．A：ホームステイしたそうですね。どうでしたか。

　　B：＿＿＿＿＿＿＿＿＿＿＿というのは＿＿＿＿＿＿＿＿＿＿＿ものですね。

3．A：今度、初めて歌舞伎を見に行くんです。

　　B：私も去年初めて見たけど、＿＿＿＿＿というのは＿＿＿＿＿ものですよ。

　　A：そうですか。じゃあ、楽しみです。　[15]

7　V-てくる（変化）　ス1 [17]　ス5 [20]

> The basic meaning of V-てくる is that of movement (移動) (☞Chapter1, Grammar Review ④). It also expresses some change (変化), process or transition of an event. The speaker uses the verb くる to express those changes as if they are approaching the speaker. The changes can be a real change like a population increase or a price increase, as well as a change in the speaker's perception when (s)he her/himself is moving. In addition, it also expresses a change which started at some point in the past and has continued until the reference point where the speaker stands currently. Note that くる in this pattern is written in Hiragana.
>
> 「V-てくる」的基本意义是表示移动(☞第1课，语法复习④)。此外也表示变化或某个过程、事物的推移。说话人用「くる」把它们描写成向自己接近的变化。这种变化可以是环境变迁、人口增加、物价上涨等物理变化，也可以是说话人行走或乘坐交通工具进行位移时感受到的周围事物正在向自己接近。从过去某个时间点持续到说话时间点的活动或事物的推移，也可以描写成向说话人接近的变化。在这个句型里，「くる」须用平假名书写。
>
> 'V-てくる'의 기본 의미는 이동입니다(☞제1과, 복습 문법④). 그 외에 변화나 어떤 과정 및 사물의 추이도 나타냅니다. 말하는 이는 그런 변화를 'くる'를 사용하여 자신이 있는 곳으로 다가오는 것처럼 묘사합니다. 묘사되는 변화는 환경의 변화나 인구 증가, 물가의 상승과 같은 물리적인 변화 외에도, 말하는 이가 걷거나 교통편으로 이동할 때 주위의 사물이 자신 쪽으로 다가오는 듯한 느낌을 나타내는 경우가 있습니다. 게다가 과거의 어느 시점에서부터 이야기의 시점까지 계속되는 활동이나 사건의 추이를 마치 말하는 이에게 다가오는 변화로써 나타낼 수 있습니다. 이 표현에서 'くる'는 히라가나로 씁니다.

[例]　a．カードで買い物をする人が増えてきた。　[1]

　　　b．大学に入ってから3年、日本語を勉強してきた。

　　　c．駅が遠くに見えてきた。

［練習1］

1. ＿＿＿＿＿＿＿＿＿＿＿＿＿＿＿＿＿＿＿＿＿＿が少しずつ増えてきている。　［5］

2. 歩いていたら、＿＿＿＿＿＿＿＿＿＿＿＿＿＿＿＿＿＿が見えてきた。

3. ＿＿＿＿＿＿＿＿＿＿＿＿＿＿＿＿＿＿＿＿＿＿＿＿＿＿＿。

［練習2］

1. A：このごろみんなメールを使っていますね。

   B：ええ、手紙を書く人がだんだん＿＿＿＿＿＿＿＿＿＿＿＿てきましたね。　［10］

2. A：もう12時ですね。

   B：ええ、おなかが＿＿＿＿＿＿＿＿＿＿＿＿＿＿＿＿＿てきました。

3. A：レストランはこの近くですよね。

   B：ええ。あそこに＿＿＿＿＿＿＿＿＿が見えてきたから、もうすぐですよ。

● 語彙 ●

| **増える | to increase | 増加 | 증가하다, 늘다 | [1] |
| このごろ | these days | 这些天，近来 | 요즈음 | [9] |

接続表現 ①～③

① すると　　　　　　　　　　　　　　　　　ス1 [14, 17]　ス5 [7]

just then ; whereupon
就在那时；于是
그러자；그랬더니

［例］ a. 女の子に駅への道を聞いた。**すると**、その子は一緒に行ってくれた。　［1］

　　　b. はこを開けた。**すると**、子どものころの写真がたくさん出てきた。

● 語彙 ●

| はこ | box | 盒子 | 상자, 박스 | [2] |

② **まして(や)** ス5 [11]
　　much less ; let alone
　　何況
　　하물며 ; 더구나

[例]　a．この本は漢字が多くて、大変だ。**まして**、外国人には難しすぎる。　[1]
　　　b．毎日学校とアルバイトで忙しい。**まして**、あしたは試験もある。

③ **そのうえ** ス5 [22]
　　on top of that ; what is more
　　而且
　　게다가

[例]　a．この本は、写真や絵が多い。**そのうえ**、説明も分かりやすい。　[1]
　　　b．あの店は安くておいしい。**そのうえ**、サービスもいい。

便利な表現 ①〜②

① **そう言えば** ス5 [2, 15]
　　speaking of which ; come to think of it ; incidentally
　　是啊；对了；说起来
　　그러고 보니

[例]　a．A：小林さん、このごろ見ないね。　[1]
　　　　　B：**そう言えば**、旅行すると言っていたよ。
　　　b．A：小林さん、最近ひまそうだね。
　　　　　B：**そう言えば**、アルバイトをやめたって言ってたよ。

② 今思うと

thinking back ; looking back
回想起来
지금 생각하면

ス1 [20]　ス5 [8]

[**例**]　a．子どものころは楽しかったが、今思うと、あまり勉強はしなかった。　　　[1]

　　　　b．アルバイトは大変だったが、今思うと、いい勉強だった。

ステップ ③ 聞こう
「身近な異文化体験」

タスク

大学のゼミ室で先生と学生たちが話しています。あなたもその一人です。

[1] 何について話していますか。よく聞いて、質問に答えましょう。

　①いつの話ですか。　　　　　　　②何がありましたか。

　③学生はどうしましたか。　　　　④会った人と何語で話しましたか。

　⑤どんなことに気づきましたか。

[2] 1) から10) の＿＿＿＿＿に言葉を書きましょう。

☞「聞き取り」の答え [239頁]

[3] a）～g）の～～～の表現は、どのようなときに使うと便利だと思いますか。

　a）そう言えば　　　　　b）こういう話でもいいですか

　c）ふうん　　　　　　　d）で　　　　　　e）いま思うと

　f）ええと　　　　　　　g）そうそう

聞き取り

先生：みなさんの身近な異文化体験を話してください。何でもいいですよ。　　[1]

本田：a) そう言えば……。

先生：なになに。

本田：きのう、代々木公園に1)＿＿＿＿＿＿＿＿＿＿歩いていたら、外国人に急に2)＿＿＿＿＿＿＿＿＿＿んですよ。b) こういう話でもいいですか。 [5]

先生：ああ、いいですねえ。続けてください。

本田：きのうのことなんですけど、代々木公園に行こうと思って歩いていたら、外国人に急に話しかけられたんです。3)＿＿＿＿＿＿＿＿＿＿のは、ヨーロッパの人みたいで、ぼくと同じぐらいの年だったんですけど、急に「しぶや、えき、どこ」って4)＿＿＿＿＿＿＿＿＿＿んです。 [10]

先生：c) ふうん。

本田：すごくびっくりして、何のことか分からなかったんですけど、この人、渋谷駅に行きたいんだって思ったんです。

先生：ああ、そう。で、どうしたんですか。

本田：日本語で説明しても5)＿＿＿＿＿＿＿＿＿＿なって思って、駅に6)＿＿＿＿＿＿＿＿＿＿あげたんです。 [15]

先生：本田さん、7)＿＿＿＿＿＿＿＿＿＿親切ですね。

本田：そうですか。d) で、渋谷に行くまで、その人に日本語で、どこから来たんですか、日本で何をしているんですかって聞いたら、ちょっと話が続いて、おもしろかったんです。 [20]

先生：じゃ、その人、日本語を話したんですね。

本田：そうなんですよ。e) 今思うと日本語で8)＿＿＿＿＿＿＿＿＿＿かもしれません。

先生：ああ、そうですね。じゃあ、そんなとき、どう言ったらいいでしょうか。

本田：そうですねえ。f) ええと、「この坂をくだって、角を右に曲がって……」あれ、難しい。 [25]

先生：g) そうそう、9)＿＿＿＿＿＿＿＿＿＿って、10)＿＿＿＿＿＿＿＿＿＿ものですよね。連れて行ってあげてよかったと思いますよ。じゃあ、次の人……。

● 語彙 ●

*異文化 い ぶん か	different cultures, other cultures	不同的文化, 其他文化	이문화	[1]
**案内（する） あんない	guide (to guide)	向导，指南	안내(하다)	[15]
身近（な） み ぢか	at hand, familiar	身边，近旁，切身	가까운	[1]
そう言えば い	come to think of it, that reminds me, now I remember	这么说来	그러고 보니	[2]
*話しかける はな	to speak to, address	搭话，攀谈	말을 걸다	[8]
**坂 さか	slope, hill	斜坡，坡道	언덕, 비탈	[25]
くだる	to descend, go down	下，下降，下去	내려가다, 내려오다	[25]
道案内（する） みちあんない	guide, direction (to guide)	指路	길 안내(를 하다)	[27]

ステップ 4 話そう・書こう
「日本語クラスでの経験」
「日本語の勉強をはじめたきっかけ」

目標 ■ できごとの説明ができるようになる

会話 1

先生と学生が日本語のクラスでの経験を話しています。＿＿＿のところに気をつけて聞きましょう。そして、a～fについて考えましょう。

☞「会話」のインフォーマル・スタイル例 [241頁]

先生：みなさんの日本語のクラスでの経験を話してください。何でもいいですよ。

> a．話を始める
> Open the conversation
> 开始发言
> 이야기를 시작한다

[1]

学生：そう言えば……。

先生：なになに。

> b．話したいことを伝える
> Initiate conversation by introducing a topic
> 告诉别人自己想说的话
> 말하고 싶은 것을 전한다

学生：日本語のクラスでスピーチコンテストがあったんです。こういう話でもいいですか。

[5]

先生：ああ、いいですねえ。続けてください。

> c．いつ、何があったかなど具体的に説明する
> Give detailed information of the topic (such as time and place of an event)
> 具体说明在什么时间发生了什么事情等
> 언제, 무슨 일이 있었는지 등 구체적으로 설명한다

学生：去年のことなんですけど、スピーチコンテストがあって、それに出ることになったんです。

先生：ふうん。 [10]

学生：初めてなのでがんばろうと思って練習したんですけど、スピーチするときにみんなの前に出たら、すごく緊張して言うことを忘れてしまったんです。

> d. コメントする
> Respond with a comment
> 评论
> 코멘트를 한다

[15]

先生：大変だったんですね。

> e. コメントにこたえて感想を言う
> Respond with a feedback
> 回应评论，谈感想
> 코멘트에 대한 감상을 말한다

学生：そうなんですよ。今思うともっと練習しておいた方がよかったかもしれません。

> f. コメントして話を終わらせる
> Close the conversation with a comment
> 评论并结束发言
> 코멘트를 하고 이야기를 끝낸다

先生：スピーチって難しいものですよね。でも、いい経験になったと思いますよ。

● 語彙 ●

*目標	goal, objective	目标	목표	[目標]
できごと	incident, event	事件	사건, 일	[目標]
*緊張(する)	strain, tension (to get tensed)	紧张	긴장(하다)	[13]

会話 2

次の中から一つ選んで、どのようなことを話すか考えましょう。それから、会話1のように話しましょう。

- 学校での経験
- アルバイトの経験
- 旅行の経験
- そのほか

ロールプレイ

AかBになって話しましょう。

カードA

あなたは留学生です。クラスメートに自己紹介（名前と国）をしてから、日本語を勉強するきっかけとなったできごとについて話してください。

You are a foreign exchange student. After introducing yourself to your classmate (state your name and home country), talk about what triggered your interest to study Japanese.

你是一名留学生。请先向你的同学做自我介绍（姓名和国籍），然后说一说是什么事情使你萌生了学习日语的想法。

당신은 유학생입니다. 클래스메이트에게 자기 소개(이름과 나라)를 하고 나서, 일본어를 공부하게 된 계기에 대해서 말해 주세요.

カードB

あなたは留学生です。クラスメートのAさんの話を聞いて、あなたも自己紹介（名前と国）をしてから、日本語を勉強するきっかけとなったできごとについて話してください。

You are a foreign exchange student. After listening to classmate A, introduce yourself as well, stating your name and home country. Talk about what triggered your interest to study Japanese.

你是一名留学生。听完A同学的话以后，请你也先做一下自我介绍（姓名和国籍），然后说一说是什么事情使你萌生了学习日语的想法。

당신은 유학생입니다. 클래스메이트 A 씨의 이야기를 듣고, 당신도 자기 소개(이름과 나라)를 하고 나서, 일본어를 공부하게 된 계기에 대해서 말해 주세요.

スピーチ

ロールプレイで話したことをスピーチにしましょう。

[ポイント１] いつのできごとだったか。

[ポイント２] どのようなできごとだったか。

[ポイント３] そのとき、どのように思ったか。

作文

この課で勉強した文法や語彙を使って、スピーチの内容をまとめましょう。タイトルは「日本語の勉強をはじめたきっかけ」、字数は400〜600字です。

ステップ❺ 挑戦しよう
「日本人の道案内のすばらしさ」

予習シート

読む前に

[1] 日本について、すばらしいなと思ったことがありますか。どのようなことですか。

[2] 日本について、いやだなと思ったことがありますか。どのようなことですか。

読みながら

[1] この人が日本に来て、すばらしいなと思ったのは、どのようなことでしたか。
[2] どうしてすばらしいと思いましたか。
[3] その経験をしたとき、この人は日本語が上手でしたか。
[4] 道を聞かれた、その日本人は、何と答えましたか。そして、どうしましたか。
[5] その日本人は、どうしてそのような行動をしたと思いますか。
[6] その日本人はどのような顔をしていましたか。
[7] この経験を、この人はどのように考えていますか。

読んだ後で

[1] あなたの日本に関係がある経験と、そのときに思ったことを教えてください。
[2] これを書いたのは、ピーター・フランクルさん（1953年ハンガリー生まれ、1982年来日、1988年から日本に定住。数学者・大道芸人）です。どのような人か、もっと調べてみましょう。

本文

フリガナなし

日本人の道案内のすばらしさ

　そういえば僕がはじめて日本に来たとき、すばらしいと思ったのは、まさに日本人の道案内でした。だいたいどの国でも、道案内というのは意外と快く応じてくれるものですが、はじめて日本人に道を尋ねたときのことは忘れられません。相手のことを思いやって、相手の立場で物事を考えていることに感動したからです。

　当時の僕はまだ本当に日本語が下手でした。それでもなんとか「渋谷、駅、どこ？」と尋ねたのです。すると、聞かれた相手は、しばらくなにかを考えているようでした。いま思うと、彼はこのときっと、「次の「大向小前」と書いてある信号を左に曲がって、スペイン坂の階段を下りて、左に行って……」なんて説明しても、この片言の外国人にはたぶんわからないだろうな、と思っていたのでしょう。まず信号になにが書いてあるか、ましてやそれが漢字なら、なおさらわかるはずがないだろう、と（たしかに当時の僕が読むことのできた漢字はごくわずかでした）。そうでなくとも、坂道やくねくねした道がある大きな街のなかで、外国人が迷子になったらかわいそうだと思ったのかもしれません。

　しばらく考えた末に彼が言ったのは、「あ、そういえば僕も渋谷駅に行こうとしてたところなんです」という言葉でした。それが嘘なのはあきらかでした。なぜなら、僕がこっちから歩いてきて、彼はあちらから来たのに、今度は僕と同じ方向に歩き出したのですから。でも、彼はとてもうれしそうにしていました。

　彼は外国人である僕に好奇心旺盛に質問し、それに答える僕の下手な日本語につきあいながら、渋谷駅まで一緒に歩いてくれたのです。駅が遠くに見えてきても、あれが駅だからもう行けるでしょう、と言うこともなく、最後まで一緒について来てくれました。その上、何線に乗るのかと尋ねて、乗り場にまで案内してくれたのです。僕は世界中たくさんの国をまわったけれども、ここまで親切にされたのははじめて

でした。僕はとても感動したのです。

（ピーター・フランクル『ピーター流生き方のすすめ』岩波ジュニア新書、2009年）

フリガナつき

日本人の道案内のすばらしさ

　そういえば僕がはじめて日本に来たとき、すばらしいと思ったのは、まさに日本人の道案内でした。だいたいどの国でも、道案内というのは意外と快く応じてくれるものですが、はじめて日本人に道を尋ねたときのことは忘れられません。相手のことを思いやって、相手の立場で物事を考えていることに感動したからです。

　当時の僕はまだ本当に日本語が下手でした。それでもなんとか「渋谷、駅、どこ？」と尋ねたのです。すると、聞かれた相手は、しばらくなにかを考えているようでした。いま思うと、彼はこのときっと、「次の「大向小前」と書いてある信号を左に曲がって、スペイン坂の階段を下りて、左に行って……」なんて説明しても、この片言の外国人にはたぶんわからないだろうな、と思っていたのでしょう。まず信号になにが書いてあるか、ましてやそれが漢字なら、なおさらわかるはずがないだろう、と（たしかに当時の僕が読むことのできた漢字はごくわずかでした）。そうでなくとも、坂道やくねくねした道がある大きな街のなかで、外国人が迷子になったらかわいそうだと思ったのかもしれません。

　しばらく考えた末に彼が言ったのは、「あ、そういえば僕も渋谷駅に行こうとしてたところなんです」という言葉でした。それが嘘なのはあきらかでした。なぜなら、僕がこっちから歩いてきて、彼はあちらから来たのに、今度は僕と同じ方向に歩き出したのですから。でも、彼はとてもうれしそうにしていました。

　彼は外国人である僕に好奇心旺盛に質問し、それに答える僕の下手な日本語につきあいながら、渋谷駅まで一緒に歩いてくれたのです。駅が遠くに見えてきても、あれが駅だからもう行けるでしょう、と言うこともなく、最後まで一緒について来てくれました。その上、何線に乗るのかと尋ねて、乗り場まで案内してくれたのです。僕は世界中たくさんの国をまわったけれども、ここまで親切にされたのははじめて

[1]でした。僕はとても感動したのです。⑦

(ピーター・フランクル『ピーター流生き方のすすめ』岩波ジュニア新書、2009年)

● 語彙 ●

**すばらしい	wonderful	出色的，极好的，了不起的	대단하다, 훌륭하다	[1]
*意外と	unexpectedly, to one's surprise	出人意料地	의외로	[3]
快く	willingly, readily, gladly	爽快地	기분좋게	[3]
応じる	to respond to, answer, reply	回应，回答	대답하다, 응하다	[3]
**尋ねる	to ask, inquire	询问	묻다	[4]
*相手	the other party	对方	상대(방)	[4]
思いやる	to sympathize with, feel for, be considerate toward	体谅，设身处地为对方着想	배려하다	[5]
立場	position, standpoint	立场	입장	[5]
物事	things, a matter	事物	일	[5]
*感動(する)	to be impressed, be touched	感动，被打动	감동(하다)	[5]
当時	at that time	当事	당시	[6]
渋谷	Shibuya (a district in Tokyo)	涩谷(东京的一个区)	시부야 (도쿄의 한 지명)	[6]

*しばらく	for some time	暂时；许久	잠시, 잠깐	[7]
*信号(しんごう)	traffic lights	红绿灯，交通信号灯	신호	[8]
**説明(する)(せつめい)	explanation (to explain)	解释，说明	설명(하다)	[9]
片言(かたこと)	smattering (of a language), broken Japanese	片言只语, 幼儿及外国人等的不完整的话语	서투른 말씨	[10]
ましてや	much less, let alone	何况，况且	하물며	[11]
なおさら	all the more, much less	更加，越发	더우기	[11]
ごく	very, extremely	极其	극히, 매우	[12]
わずか(な)	little, trifling	仅仅，稍微	조금, 약간	[12]
そうでなくとも	if it is not the case	即使不是那样	그렇지 않아도	[12]
坂道(さかみち)	slope, hill	坡道	비탈길, 언덕길	[13]
くねくねした	winding (road)	（道路等）弯弯曲曲的	구불구불한	[13]
街(まち)	town, street, 町(まち)	街道	거리, 동네	[13]
迷子(まいご)	someone who got lost	迷路的孩子, 走失的孩子	미아	[13]
V-た末(すえ)	finally after doing something	～后，最后	～한 끝에	[15]
**嘘(うそ)	lie	谎言	거짓말	[16]
*あきらか(な)	obvious, apparent, unmistakable	没有疑问地，清楚地	분명(한)	[16]
*なぜなら	it is because ～, the reason is ～	因为，原因是	왜냐하면	[16]
好奇心(こうきしん)	curiosity	好奇心	호기심	[19]
旺盛(な)(おうせい)	vigorous, hearty	旺盛(的)	왕성(한)	[19]
V-ることもなく	without doing ～	没有做～	～하는 일 없이	[21]
*何線(なにせん)	what line (of train)	（地铁等列车的）什么线	무슨 선	[22]
*乗り場(のば)	platform, bus stop	乘车点	타는 곳	[22]
**まわる	to make a tour	围绕，环绕	돌다, 돌아다니다	[23]

第2課 夢を話す
ゆめ　はな

■ステップ❶ 読もう
「私の夢」
わたし ゆめ
■予習シート　■本文
よしゅう　　ほんぶん

■ステップ❷ 整理しよう
せいり
文法と表現
ぶんぽう　ひょうげん
■この課の文法と表現　■新しい文法①～⑪　■接続表現①　■便利な表現①
か　ぶんぽう ひょうげん　あたら ぶんぽう　　せつぞくひょうげん　　べんり ひょうげん

■ステップ❸ 聞こう
「国際交流サークルの説明会」
こくさいこうりゅう　せつめいかい
■タスク　■聞き取り
き と

■ステップ❹ 話そう・書こう
「顔合わせ会で自己紹介」
かお あ　かい じこしょうかい
「将来の希望」
しょうらい きぼう
■目標　■意見や希望が話せるようになる
もくひょう　いけん きぼう はな
■会話1　■会話2　■会話3　■ロールプレイ　■スピーチ　■作文
かいわ　かいわ　かいわ　　　　　　　　　　　　　　さくぶん

■ステップ❺ 挑戦しよう
ちょうせん
「会長からもらった宝物」
かいちょう　　　　たから もの
■予習シート　■本文
よしゅう　　ほんぶん

ステップ ❶ 読もう

「私の夢」

予習シート

読む前に

[1] あなたには、どのような将来の夢や計画がありますか。

読みながら

[1] マヤさんの国は何が有名ですか。

[2] マヤさんの国の主な産業は何ですか。何を作っていますか。

[3] 1960年ごろから、この産業にどのような変化がありましたか。

[4] その結果、どのようなことが起こりましたか。

[5] マヤさんは留学する前、どんなことをしましたか。

[6] [5]はうまくいきましたか。

[7] マヤさんはどのような方法を見つけましたか。

[8] マヤさんの今の夢は何ですか。

読んだ後で

[1] あなたの今の夢や計画を教えてください。なぜその夢を持つようになったかも説明してください。

本文

フリガナなし

私の夢　　　　　　　　　　　　　　　　　　　　　　　マヤ・シュレスタ

　私の国は美しい自然で有名だ。世界中の人がおおぜい観光に来てくれる。しかし、この美しい国に、実は環境に関わる問題がある。
　私の国の主な産業は農業で、むかしから、米やとうもろこしを作っている。むかしは厳しい自然の中での農業は本当に大変だったそうだ。生活を良くするためには、生産量を上げないといけない。それで、1960年ごろから農薬を使うようになって、生産量が上がっていった。生産量が上がったので、人々はもっと農薬を使うようになった。それで、農薬が土に残ってしまい、その結果、水まで汚染されてしまったのだ。
　私の国は井戸水を使う人が多い。留学する前、私は理科の教師をしていたので、汚染された水の危険性について調べた。汚染された水の影響が体に出るまでは時間がかかるので、多くの人がその危険を感じないで水を飲んでしまう。私は一生懸命にみんなに説明したつもりだが、あまり効果がなかった。
　どうしたらいいか……と悩んでいるときに、環境という研究分野に出会って、私は希望を見つけた。「土壌改良」だ。「土壌改良」とは「土を良くする」という意味だ。汚染された水の問題を解決したかったら、土を良くすればいい。今の私の夢は、土壌改良の研究をして、私の国の人々が安心して水を飲めるようにするだけでなく、水が原因で病気になる人をなくすことである。日本での留学生活は、アルバイトもあって大変だが、夢を忘れないでがんばりたい。
　　　　　　　　　　　　　　　　　　　　　　　　　　　　（マヤの作文）

フリガナつき

私の夢　　　　　　　　　　　　　　　　　　　　　　　マヤ・シュレスタ

　私の国は美しい自然で有名だ。世界中の人がおおぜい観光に来てくれる。しかし、この美しい国に、実は環境に関わる問題がある。

私の国の主な産業は農業で、むかしから、米やとうもろこしを作っている。むかしは厳しい自然の中での農業は本当に大変だったそうだ。生活を良くするためには、生産量を上げないといけない。それで、1960年ごろから農薬を使うようになって、生産量が上がっていった。生産量が上がったので、人々はもっと農薬を使うようになった。それで、農薬が土に残ってしまい、その結果、水まで汚染されてしまったのだ。

私の国は井戸水を使う人が多い。留学する前、私は理科の教師をしていたので、汚染された水の危険性について調べた。汚染された水の影響が体に出るまでは時間がかかるので、多くの人がその危険を感じないで水を飲んでしまう。私は一生懸命にみんなに説明したつもりだが、あまり効果がなかった。

どうしたらいいか……と悩んでいるときに、環境という研究分野に出会って、私は希望を見つけた。「土壌改良」だ。「土壌改良」とは「土を良くする」という意味だ。汚染された水の問題を解決したかったら、土を良くすればいい。今の私の夢は、土壌改良の研究をして、私の国の人々が安心して水を飲めるようにするだけでなく、水が原因で病気になる人をなくすことである。日本での留学生活は、アルバイトもあって大変だが、夢を忘れないでがんばりたい。

(マヤの作文)

● 語彙 ●

**夢 ゆめ	dream, hope, wish	梦想，希望	꿈	[1]
**美しい うつく	beautiful	美丽的	아름답다	[2]
*自然 しぜん	nature	自然	자연	[2]
おおぜい	many people	许多人，众人	많은 사람	[2]
*観光 かんこう	sightseeing	观光	관광	[2]
*実は じつ	the truth is, actually	老实说，实际上	사실은，실은	[3]
環境 かんきょう	environment	环境	환경	[3]
～に関わる かか	☞New Grammar 2	☞新语法 2	☞새로운 문법 2	[3]

** 問題(もんだい)	issue, problem	问题	문제	[3]
* 主な(おもな)	main	主要的	주요(한)	[4]
** 産業(さんぎょう)	industry	产业，工业，实业	산업	[4]
** むかし	in the old days	过去	옛날	[4]
** 米(こめ)	rice	米	쌀	[4]
とうもろこし	corn	玉米	옥수수	[4]
** 厳しい(きびしい)	severe, strict	严格的	엄하다, 거칠다	[5]
** 生活(する)(せいかつ)	life (to live)	生活	생활(하다)	[5]
** 生産(する)(せいさん)	production (to produce)	生产	생산(하다)	[5]
－量(りょう)	amount of ～	～量	～량	[6]
* 上げる(あげる)	to raise, increase, improve	使升高，抬起，提高	올리다	[6]
* 農薬(のうやく)	agricultural chemicals	农药	농약	[6]
* 土(つち)	soil, dirt	土壤，泥土	흙	[8]
** 残る(のこる)	to remain, be left, stay	剩下，留下	남다	[8]
* 結果(けっか)	result	结果	결과	[8]
* 汚染(する)(おせん)	pollution, contamination (to pollute contaminate)	污染	오염(시키다)	[8]
井戸水(いどみず)	well-water	井水	우물물	[9]
* 理科(りか)	science	理科	이과	[9]
* 教師(きょうし)	teacher	教师	교사	[9]
** 危険(な)(きけん)	danger, risk, hazardous	危险(的)	위험(한)	[10]
－性(せい)	characteristic of ～	～性	～성	[10]
* 影響(する)(えいきょう)	influence (to influence)	影响	영향(을 끼치다)	[10]
* 感じる(かんじる)	to feel, sense	感觉，感到	느끼다	[11]

効果 こうか	effect	效果	효과	[12]
*悩む なや	to worry, suffer	煩惱	고민하다	[13]
**研究(する) けんきゅう	research (to do research, study)	研究	연구(하다)	[13]
*分野 ぶんや	field, realm	領域	분야	[13]
*出会う で あ	to encounter	邂逅，偶遇	만나다	[13]
*希望(する) きぼう	hope, wish, desire (to hope, wish, desire)	希望	희망(하다)	[14]
土壌 どじょう	soil	土壌	토양	[14]
改良(する) かいりょう	improvement (to improve)	改良	개량(하다)	[14]
解決(する) かいけつ	solution (to solve)	解決	해결(하다)	[15]
**安心(する) あんしん	relief, ease (to relieve, ease, reassure)	安心，放心	안심(하다)	[16]
**原因 げんいん	cause	原因	원인	[17]

ステップ❷ 整理しよう
文法と表現

この課の文法と表現

復習文法

初級で勉強した文法をチェックしましょう。忘れていたら、復習しましょう。

☞ **復習文法** [226頁]

① S(plain)そうだ(伝聞)　　　　　　　　　　　　　　　　　　ス1 [5]　ス5 [13, 20, 23]
② S(plain non-past)ようになる(変化)　　　　　　　　　　　　ス1 [6, 7]　ス5 [16]
③ V-ていく(移動)　　　　　　　　　　　　　　　　　　　　ス1 [7]
④ V-てしまう　　　　　　　　　　　　　　　　　　　　　　ス1 [8]
⑤ 可能形(potential forms)　　　　　　　　　　　　　　　　ス1 [16]　ス5 [3, 8]
⑥ 敬語(polite expressions)　　　　　　　　　　　　　　　　ス5 [4, 5, 20]

新しい文法

1 だ・である体(speech style : plain)　　　　　　　　　　　　ス1 [17]　ス5 [6]
2 N1に関わるN2　　　　　　　　　　　　　　　　　　　　ス1 [3]　ス5 [17]
3 S(plain) / Nの ために〜　　　　　　　　　　　　　　　　ス1 [5]
4 V-ないといけない　　　　　　　　　　　　　　　　　　　ス1 [6]　ス5 [9, 15]
5 V-ていく(変化)　　　　　　　　　　　　　　　　　　　　ス1 [7]　ス5 [12]
6 V-たつもりだ　　　　　　　　　　　　　　　　　　　　　ス1 [12]　ス5 [23]
7 N1(と)はS(plain) / N2という意味(の言葉)だ　　　　　　　ス1 [14]　ス5 [24]
8 S(plain non-past)ようにする　　　　　　　　　　　　　　ス1 [16]

⑨ V(plain)だけで(は)なく　　　　　　　　　　　　　　　　　　ス1 [16]　ス5 [16]

⑩ 受身形の敬語（passive forms used as honorifics）　　　　　　　　　ス5 [20]
　　うけみけい　けいご

⑪ V(stem)はしない　　　　　　　　　　　　　　　　　　　　　　　ス5 [28]

接続表現
せつぞくひょうげん

① それで　　　　　　　　　　　　　　　　　　　　　　　ス1 [6, 8]　ス5 [15]

便利な表現
べんり

① それ ／ N ｝なりの／なりに　　　　　　　　　　　　　　　　　ス5 [11]

新しい文法 ①〜⑪
あたら　ぶんぽう

① だ・である体（speech style：plain）　　　　　　　　　ス1 [17]　ス5 [6]
　　　　　たい

文体対照表（speech styles）
ぶんたいたいしょうひょう

	丁寧体(polite：です・ます) ていねいたい	普通体(plain：だ・である) ふつうたい
動詞 どうし （verb）	読みます 読みました	読む 読んだ
	読みません 読みませんでした	読まない 読まなかった
イ形容詞 けいようし （i-adjective）	大きいです 大きかったです	大きい 大きかった
	大きくありません／ 大きくないです 大きくありませんでした／ 大きくなかったです	大きくない 大きくなかった
ナ形容詞 （na-adjective）	元気です 元気でした	元気だ／元気である 元気だった／元気であった
	元気ではありません／ 元気ではないです 元気ではありませんでした／ 元気ではなかったです	元気ではない 元気ではなかった

名詞(めいし)+ copula	本です 本でした	本だ/本である 本だった/本であった
	本ではありません/ 本ではないです 本ではありませんでした/ 本ではなかったです	本ではない 本ではなかった
conjecture	〜でしょう	〜だろう/であろう

※ 話し言葉(ことば)では、普通(ふつう)「では」が「じゃ」になります。

> Two main speech styles in Japanese are です・ます体(たい)(polite style) and だ・ある体(plain style). The former is mainly used in polite conversation, letters and speeches. The latter is used mainly in conversation with someone close or in writings such as newspaper articles, books and research papers. With nouns and na-adjectives, the more literal である体 can be used. だ・ある体 and である体 counterparts of the conjecture marker でしょう in です・ます体 are だろう and であろう, respectively. Refer to the chart below on speech styles.
>
> 日语的文体大致上可分为敬体(「です・ます体」)和简体(「だ・ある体」)两种。敬体用于较为礼貌的口语、书信和演讲等。简体用于关系亲密的人之间的会话，或作为书面语用于新闻报道、一般书籍、专著和论文。就名词和ナ形容词而言，还有比较生硬的书面语「である体」。此外，「でしょう」的简体是「だろう」，其「である体」是「であろう」。参看文体对照表。
>
> 일본어의 문체는 크게 나눠서 정중체(です・ます体)와 보통체(だ・ある体)가 있습니다. 정중체는 정중한 구어나 편지, 스피치 등에 사용합니다. 보통체는 친한 사람과의 대화나 신문기사, 일반서적, 전문서적, 논문 등의 문어체에서 사용됩니다. 명사와 형용사의 경우는 보다 딱딱한 문어체로 'である체'가 있습니다. 또 'でしょう'의 보통체는 'だろう', 'である체'는 'であろう'가 됩니다. 문체 대조표를 참고하기 바랍니다.

［例］　a．父(ちち)の趣味(しゅみ)は映画(えいが)を見ることである。　　　　　　　　　　　　　[1]

　　　b．私の国は美(うつく)しい自然(しぜん)で有名(ゆうめい)だ。

　　　c．私の夢(ゆめ)は、……水が原因(げんいん)で病気(びょうき)になる人をなくすことである。

［練習1］

次の文を「普通体」または「である体」に変えなさい。　　　　　　　　　　　　　　　　　　[5]

1．私の国は美(うつく)しい自然(しぜん)で有名(ゆうめい)です。世界中(せかいじゅう)の人がおおぜい観光(かんこう)に来てくれます。

2．私の国は井戸水(いどみず)を使う人が多いです。留学(りゅうがく)する前、私は理科(りか)の教師(きょうし)をしていましたので、汚染(おせん)された水の危険性(きけんせい)について調(しら)べました。

3．日本での留学生活は、アルバイトもあって大変(たいへん)ですが、がんばりたいです。

2 N1に関わるN2

N2 which has to do with N1；N2 involved in N1；N2 which may affect N1
事关N1的N2
N1 와/과 관련된 N2
cf. N1に関するN2

> N1に関わるN2 is slightly different in meaning from N1についてのN2 or N1に関するN2, both of which mean N2 is related to N1. In N1に関わるN2, N2 tends to be something which influences, controls or even conditions N1, such as 子どもの健康に関わる問題 "issues which will influence childrens' health", 将来に関わる仕事の選択 "a job selection which will affect your future".
>
> 这个表达与「N1についてのN2」、「N1に関するN2」很相像，但意义不同。「N1に関わるN2」中的N2通常是具有左右N1的影响力的事物，如「子どもの健康に関わる問題」（关系到孩子们的健康的问题）、「将来に関わる仕事の選択」（事关将来的职业的选择）等例中的N2。
>
> 이 표현은 'N1についてのN2'나 'N1に関するN2'와 비슷하지만 뜻은 똑같지 않습니다. 'N1に관わるN2'의 N2는 '子どもの健康に関わる問題(아이의 건강과 관련된 문제)'나 '将来に関わる仕事の選択(장래와 관련된 직업 선택)'와 같이 N1를 좌우하는 영향력을 갖고 있는 경우가 보통입니다.

[例]　a．教育に関わる仕事がしたいと思っています。
　　　b．ＩＴに関わる翻訳の仕事をした。
　　　c．実は環境に関わる問題がある。

[練習１]

1．卒業したら国際協力に関わる＿＿＿＿＿＿＿＿＿＿＿をしたいと思う。
2．この問題は＿＿＿＿＿＿＿＿＿＿＿に関わる問題だから、よく考えよう。
3．＿＿＿＿＿＿＿＿＿＿＿＿＿＿＿＿＿＿＿＿＿＿＿＿＿＿＿＿。

[練習２]

1．Ａ：発表のテーマは決めましたか。
　　Ｂ：＿＿＿＿＿＿＿＿＿＿＿に関わる発表をしたいと思っています。

2．Ａ：卒業したら、どうしますか。
　　Ｂ：＿＿＿＿＿＿＿に関わる＿＿＿＿＿＿＿をしたいと思っています。

3．Ａ：温暖化についてどう思いますか。
　　Ｂ：＿＿＿＿＿＿＿＿＿に関わる＿＿＿＿＿＿＿＿＿だと思います。

●語彙●
ごい

*健康 けんこう	health	健康	건강	[✍]
選択(する) せんたく	choice, selection (to chose, select)	选择	선택(하다)	[✍]
**教育(する) きょういく	education (to educate)	教育	교육(하다)	[1]
**国際 こくさい	international	国际	국제	[5]
*協力(する) きょうりょく	cooperation	合作	협력(하다)	[5]
発表(する) はっぴょう	presentation (to make a presentation)	发表，报告，展示	발표(하다)	[10]
温暖化 おんだんか	global warming	（全球）变暖	온난화	[13]

3 S(plain)
 Nの } ために〜   ス１ [5]

for the sake of S/N ; in order for S ; because of S/N
为了S/N；因为S/N
S-기 위해서/N을 위해서；S-기 때문에；S-(아/어)서；S-(으)니까；N 때문에

S(plain)/Nの ために indicates S(plain)/Nの as a purpose, as a reason, or as a cause for the following clause. Its interpretation depends on the context. When it is used to mean a purpose for someone's action, the verb of S(plain) must be in the form of a non-past affirmative (i.e. Dictionary form) such as 友だちに会うために新宿へ行きました (I went to Shinjuku to see my friend), while there is no such restriction when it is used to indicate a reason or a cause. The examples are 事故があったために仕事に遅れました (Due to the accident, I came late for work) and 田中さんが来ないために会議がはじめられない (Since Tanaka has not showed up yet, we cannot begin our meeting). The interpretation of Nのために depends on the context such as 結婚のために仕事をやめる where getting married can indicate either a reason or a purpose of quitting a job.

「S(plain)/Nの ために」表示后面所接的小句的目的、理由、原因。表示目的时，S(plain)的动词限用辞书形，如「友だちに会うために新宿に行きました」(为了和朋友见面，去了新宿)。而表示理由、原因时，不受此限，例如「事故があったために仕事に遅れました」(因为发生了事故，所以上班迟到了)、「田中さんが来ないために会議がはじめられない」(由于田中先生没来，会议不能开始)。「Nのために」的意义因上下文而异。例如「結婚のために仕事をやめる」(为了/因为结婚而辞职)一句，结婚究竟是辞职的目的还是理由，只能根据上下文来判断。

'S(plain)/Nの ために'는 뒤에 오는 절의 목적이나 이유, 원인을 나타냅니다. 목적의 뜻으로 사용할 때 S(plain)의 동사는 '友だちに会うために新宿に行きました(친구를 만나기 위해 신주쿠로 갔습니다)'와 같이 사전형을 사용합니다. 그러나 이유나 원인의 뜻이 될 때는 그런 제한은 없습니다. '事故があったために仕事に遅れました(사고가 있어서 회사에 늦었습니다)'나 '田中さんが来ないために会議がはじめられない(다나카 씨가 안 오니까 회의를 시작할 수 없다)' 등이 그 예입니다. 'Nのために'의 경우의 해석은 문맥에 따라 달라집니다. 예를 들어 '結婚のために仕事をやめる(결혼을 위해서 일을 그만두다 ; 결혼 때문에 일을 그만두다)'의 경우는 결혼이 일을 그만두는 목적인지 이유인지를 문맥으로 판단합니다.

[例]　a．雪のために電車が止まった。

　　　b．日本語を勉強するために留学した。

　　　c．生活をよくするためには、生産量を上げないといけない。

[練習1]

1. ＿＿＿＿＿＿＿＿＿＿＿＿＿＿＿＿＿＿＿＿＿＿＿＿＿＿ためにアルバイトをしている。

2. ＿＿＿＿＿＿＿＿＿＿＿＿＿＿＿＿＿＿＿＿＿＿＿＿＿＿＿＿ために学校を休んだ。

3. ＿＿＿＿＿＿＿＿＿＿＿＿＿＿＿＿＿＿＿＿＿＿＿＿＿＿＿＿＿＿＿＿＿＿＿。

[練習2]

1. A：どうして日本語を勉強しているんですか。

　　B：＿＿＿＿＿＿＿＿＿＿＿＿＿＿＿＿＿＿＿＿＿＿ために勉強しているんです。

　　A：そうですか。がんばってくださいね。

2. A：毎朝、公園でジョギングをしているそうですね。

　　B：ええ。＿＿＿＿＿＿＿＿＿＿＿＿＿＿＿＿＿＿＿＿＿＿＿ために走っています。

　　A：そうですか。いいことですね。

3. A：今年は国に帰らないんですか。

　　B：ええ。＿＿＿＿＿＿＿＿＿＿＿＿＿＿＿＿＿＿＿＿＿＿ために帰れないんです。

　　A：それは、大変ですね。

● 語彙 ●

| 事故 | accident | 事故 | 사고 | [00] |

4　**V-ないといけない**　　　　　　　　　　　　　　　ス1 [6]　ス5 [9, 15]

　　one must do 〜 (lit. if you do not do something, it won't do)
　　必須：非〜不可
　　V-(아/어)야 하다/되다
　　cf.　V-なければいけない、V-なくてはいけない

[例]　a．あしたは発表の日だから、練習しないといけない。

　　　b．卒業したらどうするか、よく考えないといけない。

　　　c．生産量を上げないといけない。

［練習１］

1．これからアルバイトがあるから、＿＿＿＿＿＿＿＿＿＿＿＿＿＿＿＿＿＿＿＿＿＿＿＿＿。　[5]

2．次の授業までにしないといけないことは＿＿＿＿＿＿＿＿＿＿＿＿＿＿＿＿＿＿＿＿。

3．＿＿＿。

［練習２］

1．A：あしたは試験があるんですか。

　　B：そうなんです。だから＿＿＿＿＿＿＿＿＿＿＿＿＿＿といけないんです。　[10]

　　A：そうですか。がんばってくださいね。

2．A：これからお茶でもどうですか。

　　B：すみません。＿＿＿＿＿＿＿＿＿から＿＿＿＿＿＿＿＿＿といけないんです。

　　A：そうですか。じゃあ、また、いつか……。

3．A：あした、アルバイトの面接があるんですけど、＿＿＿＿＿＿＿＿＿＿＿と　[15]

　　　いけないことはどんなことでしょうか。

　　B：そうですねえ。面接では＿＿＿＿＿＿＿＿＿＿＿といけないと思いますよ。

　　A：ああ、分かりました。がんばります。

5　V-ていく（変化）　　　　　　　　ス1 [7]　ス5 [12]

> The basic meaning of V-ていく is that of movement(移動)(☞Chapter2, Grammar Review③) Just like V-てくる(Chapter1, New Grammar⑦) this also expresses some change(変化), process or transition of some event. The speaker uses the verb ていく to express those changes as if they are moving away from the speaker. The changes to be described are the same as those of てくる, a real change in the surroundings or a change in the speaker's perception like 子どもの数が少なくなっていく 'the number of children will continue to decrease' or 夜明けに星が消えていく 'The stars are disappearing in the dawn.' The way in which the speaker perceives the change is just the opposite of てくる. Note that いく in this pattern is written in Hiragana.
>
> 「V-ていく」的基本意义是表示移动(☞第2课，语法复习③)。此外表示变化或某个过程、事件的推移。这个语法与第1课的新语法⑦「V-てくる」有相似之处，不过用「ていく」时，说话人将变化描写成从自己所在的位置远去的变化。被描写的变化或事物的推移也与「てくる」相同，表示环境等的变化、周围事物远离说话人的位置，以及从说话时间点来看，某种变化或某人的动作离说话人远去，并将在未来继续持续。例如「子どもの数が少なくなっていく」(孩子的数量将持续减少)和「夜明けに星が消えていく」(在天明时星星消失不见)等。「ていく」对变化的认识方式与「てくる」相反。这个句型里的「いく」须用平假名书写。
>
> 'V-ていく'의 기본 의미는 이동입니다(☞제2과, 복습 문법③). 그 외에 변화나 어떤 과정이나 사건의 추이도 나타냅니다. 제1과 새로운 문법⑦의 'V-てくる'와 비슷하지만, 'ていく'는

> 말하는 이가 그런 변화를 자신이 있는 곳으로부터 멀어지는 것처럼 묘사합니다. 묘사되는 변화나 사건의 추이도 'てくる'와 마찬가지로 환경 등의 변화나 주변의 사물이 말하는 이의 위치로부터 멀어져가는 듯한 느낌을 나타냅니다. 또 어떤 변화나 누군가의 동작을 말하는 이의 현재 시점에서 멀어지듯이 파악하여, 그 변화나 동작이 미래에도 계속되는 것을 나타낼 수 있습니다. '子どもの数が少なくなっていく(아이의 수는 줄어들어 간다)'나 '夜明けに星が消えていく(새벽에 별이 사라져 간다)' 등이 그 예입니다. 'ていく'의 변화의 판단은 'てくる'와는 정반대입니다. 이 표현에서 'いく'는 히라가나로 씁니다.

[例]　a．卒業してからも、サークルの友だちと仲よくしていきたい。　　　　　　　　　　　[1]

　　　b．これからはコンピューターが使える子どもが多くなっていくだろう。

　　　c．生産量が上がっていった。

[練習1]

1．日本語が分かる外国人は増えてきた。これからも＿＿＿＿＿＿＿＿＿いくだろう。　[5]

2．これから私の国は＿＿＿＿＿＿＿＿＿＿＿＿＿＿＿＿＿＿＿いくだろう。

3．＿＿＿＿＿＿＿＿＿＿＿＿＿＿＿＿＿＿＿＿＿＿＿＿＿＿＿＿＿＿。

[練習2]

1．A：日本の子どもの数が減っていますね。

　　B：そうですね。これからも＿＿＿＿＿＿＿＿＿＿＿＿いくと思います。　[10]

　　A：そうですね。

2．A：サッカーなどで女性が活躍していますね。

　　B：そうですね。これからも＿＿＿＿＿＿＿＿＿＿＿＿いくと思います。

　　A：そうですね。

3．A：翻訳のアルバイトを始めたそうですね。　[15]

　　B：ええ、楽しいですよ。＿＿＿＿＿＿＿＿＿＿＿いきたいと思います。

　　A：そうですか。がんばってください。

● 語彙 ●

*数	number	数字, 数量	수	[9]
減る	to decrease	減少	줄다, 줄어들다	[9]
女性	females	女性	여성	[12]
活躍(する)	splendid work (to be actively involved in)	活跃, 显身手	활약(하다)	[12]

6 V-たつもりだ   ス1 [12]　ス5 [23]

I am convinced that I did something
我自认为
V-(았/었)다고 생각했다

> つもり depicts an image or a blueprint in the speaker/writer's mind about his/her future action. V-るつもりだ is interpreted as the speaker's intention for the future action. With V-たつもりだ, on the other hand, the speaker has an image of him/herself having done that action and has a strong conviction that the image is true. In the case where the speaker realized that what s/he believed turned out to be wrong, the pattern is followed by the adversative conjunctive particles like のに、けど, or が.
>
> 「つもり」表示浮现在说话人心中的对自身行动的印象。「V-るつもりだ」表示说话人对自身尚未实现的行动的印象，一般理解为表达说话人的意志。「V-たつもりだ」则表示说话人心中认为动词所表示的动作处于完成状态。当说话人注意到这个印象与现实情况不同时，可后续表示转折的接续形式，如のに、けど、が等。
>
> 'つもり'는 말하는 이의 마음 속에 떠오른 자신의 행동에 대한 이미지를 나타내는 것입니다. 'V-るつもりだ'는 말하는 이 자신이 실현하지 않은 행동에 대한 이미지로, 보통 말하는 이의 의지의 표현으로 해석됩니다. 'V-たつもりだ'의 경우, 말하는 이는 해당 동사가 나타내는 동작이 완료된 상태를 마음 속에 그려놓고, 그 상태를 믿고 있습니다. 말하는 이가 그 이미지가 현실의 상태와 다르다고 깨달은 경우, 역접의 접속 표현(のに、けど、が)이 옵니다.

[例]　a．プリントを持ってきたつもりだが、かばんに入っていない。　　　　　　　　　　[1]

　　　b．Ｌサイズのシャツを買ったつもりだったが、よく見たらＳサイズだった！

　　　c．私は一生懸命みんなに説明したつもりだが、あまり効果がなかった。

[練習1]

1．かぎをかけたつもりで、＿＿＿＿＿＿＿＿＿＿＿＿＿＿＿＿＿＿＿＿＿＿＿＿。　[5]

2．＿＿＿＿＿＿＿＿＿＿＿＿＿つもりだ。あしたの発表はだいじょうぶだと思う。

3．＿＿＿＿＿＿＿＿＿＿＿＿＿＿＿＿＿＿＿＿＿＿＿＿＿＿＿＿＿＿＿＿＿＿＿。

[練習2]

1．先生：宿題を忘れたんですか。

　　学生：ええ。＿＿＿＿＿＿＿つもりだったんですけど、＿＿＿＿＿＿んです。　[10]

　　先生：そうですか。

2．Ａ：どうしたんですか。

　　Ｂ：アルバイトの面接で落ちたんです。＿＿＿＿＿＿つもりだったんですけど。

　　Ａ：そうなんですか。

3. A：あ、プリントが足りません。　　　　　　　　　　　　　　　　　　　　　　　[15]

　　B：すみません。_____つもりなんですけど……。いそいでコピーしてきます。

● 語彙 ●

落ちる	to fail (an exam)	（考试)不及格	떨어지다	[13]
プリント(する)	handout (to make prints)	（印刷)讲义或会议等的资料	프린트(하다)	[15]
足りる	to be enough, suffice	足够，充足	충분하다	[15]

7　N1(と)は S(plain)/N2という意味(の言葉)だ　　　　　　　ス1 [14]　ス5 [24]
　　N1 means N2/S
　　N1的意思是N2/S
　　N(이)란 S/N2(이)라는 뜻이다
　　　cf.　N1はS(plain)こと/N2を意味する

> This pattern presents a definition of something. N1(と)は can be replaced with the topic introducing phrases such as N1というのは or N1って。N1はS(plain)こと/N2 を意味する can also be used without changing the meaning.
>
> 这个句型用于说明事物N1的意思，「N1(と)は」表示话题。其中「N1というのは」也可以说成「N1って」。此外还有「N1はS(plain)こと/N2を意味する」的说法。
>
> 어떤 뜻을 설명할 때 사용하는 표현으로, 'N1(と)は'는 주제(토픽)를 나타냅니다. 'N1というのは'나 'N1って'로 바꿔 말할 수 있습니다. 또 'N1はS(plain)こと/N2를 의미한다'로 말할 수도 있습니다.

[例]　a．「留学」とは「外国の学校で勉強する」という意味だ。　　　　　　　　　[1]

　　　b．「節電」とは「できるだけ電気を使わない」という意味の言葉だ。

　　　c．「土壌改良」とは「土を良くする」という意味だ。

[練習1]

1．「男女平等」とは_____意味の言葉だ。　[5]

2．「立入り禁止」とは_____意味だ。

3．_____。

[練習2]

1. A：あのう、すみません。ちょっと今、質問してもいいですか。
   B：ええ、いいですよ。何ですか。 [10]
   A：「撮影禁止」ってどういう意味ですか。
   B：ああ、＿＿＿＿＿＿＿＿＿＿＿＿＿＿＿＿＿＿＿という意味ですよ。
   A：そうですか。どうもありがとうございました。
   B：いいえ。

2. A：あのう、すみません。ちょっと今、質問してもいいですか。 [15]
   B：ええ、いいですよ。何ですか。
   A：「時間厳守」ってどういう意味ですか。
   B：ああ、＿＿＿＿＿＿＿＿＿＿＿＿＿＿＿＿＿＿＿という意味ですよ。
   A：そうですか。どうもありがとうございました。
   B：いいえ。 [20]

3. A：あのう、すみません。ちょっと今、質問してもいいですか。
   B：ええ、いいですよ。何ですか。
   A：「食べ放題」ってどういう意味ですか。
   B：ああ、＿＿＿＿＿＿＿＿＿＿＿＿＿＿＿＿＿＿＿という意味ですよ。
   A：そうですか。どうもありがとうございました。 [25]
   B：いいえ。

● 語彙 ●

節電 せつでん	power saving	节约用电	절전	[2]
男女平等 だんじょびょうどう	equal rights for men and women	男女平等	남녀평등	[5]
立入り禁止 たちいり きんし	Keep out	禁止入内	출입금지	[6]
撮影禁止 さつえいきんし	No photography	禁止拍照	촬영금지	[11]
時間厳守 じかんげんしゅ	Be punctual	务必准时	시간엄수	[17]
食べ放題 ほうだい	Eat as much as you like, all you can eat	（在指定时间段内）不限量享用食物，随便吃	바이킹, 뷔페	[23]

8 S(plain non-past)ようにする

make an effort of doing something ; make sure that S ; see to it that S
为确保实现S而努力
S-(으)려고 하다 ; S-도록 하다 ; S-게 하다

> Sよう is like a picture about yourself in your mind which depicts how you want to be or what you want to be doing. Sようにする expresses someone's commitment to make the event expressed in S will come true. With ている, Sようにしている expresses that the speaker makes it a habit of doing what is expressed in S.
>
> 「Sよう」表示的是说话人心中想要实现的理想行为或状态。「Sようにする」表示将为了这一目标的实现而付出努力。当使用「ている」, 说成「Sようにしている」时, 则表示说话人将S表示的行动作为一种习惯来要求自己。
>
> 'Sよう'는 말하는 이가 '이렇게 하고 싶다, 되고 싶다'라고 마음 속에 그리는 이상입니다. 'Sようにする'는 실현 가능하도록 노력하겠다는 것을 나타냅니다. '팅'를 사용하여 'Sようにしている'라고 하면, 말하는 이가 자신에게 S가 나타내는 행동을 습관처럼 하겠다고 과제를 부과하는 것을 나타냅니다.

[例]　a．毎日、日本語で話すようにしている。

　　　b．日本にいた時は英語を使わないようにした。

　　　c．安心して水を飲めるようにするだけでなく、……。

[練習1]

1．健康のために、毎日＿＿＿＿＿＿＿＿＿＿＿＿＿＿＿＿＿＿＿ようにしている。

2．日本語が上手になりたかったら、＿＿＿＿＿＿＿＿＿＿＿＿ようにするといい。

3．＿＿＿＿＿＿＿＿＿＿＿＿＿＿＿＿＿＿＿＿＿＿＿＿＿＿＿＿＿＿＿＿＿。

[練習2]

1．A：あさ早く起きられないんですが、どうしたらいいでしょうか。

　　B：そうですね……。＿＿＿＿＿＿＿＿＿＿＿＿＿ようにしたらどうですか。

　　A：いいですね。やってみます。

2．先生：あした試験ですね。

　　学生：はい。

　　先生：＿＿＿＿＿＿＿＿＿＿＿＿＿＿＿＿＿＿＿ないようにしてください。

　　学生：はい。

3. 後輩：先輩は、このサークルに入ってどうやって友だちを作りましたか。

   先輩：なるべく_____ようにしていたよ。

   後輩：そうですか。

● 語彙 ●

後輩	junior, underclassman	同一个学校或工作单位中后进来的人	후배	[16]
**なるべく	as ～ as possible	尽可能～	가능한 한	[17]

9 **V(plain)だけで(は)なく**　　　　　　　　ス1 [16]　ス5 [16]

not just V, but also ～
不仅V，而且～
V-뿐만 아니라

> With だけで(は)なく, the speaker means to say that what (s)he wants to describe is not limited to what is denoted by V. するだけでなく 'not just doing', しただけでなく 'not just having done ～', しないだけでなく 'not just not doing', and しなかっただけでなく 'not just not having done ～' are possible. In this lesson we will focus on the sentences with a verb dictionary form.
>
> 「だけで(は)なく」表示说话人要表达的事物不仅仅停留在V(plain)，除此以外还有别的。也有「するだけでなく」「しただけでなく」「しないだけでなく」「しなかっただけでなく」等形式，不过本课练习「だけで(は)ない」前接动词辞书形的形式。
>
> 'だけで(は)なく'는 말하는 이가 표현하는 것이 V(plain)가 뜻하는 것에 멈추지 않고 그 이상이라는 것을 나타냅니다. 가능한 형태로는 'するだけでなく', 'しただけでなく', 'しないだけでなく', 'しなかっただけでなく'가 있는데, 이 과에서는 동사의 사전형의 경우를 연습합니다.

[例] a. 日本語を勉強するだけじゃなく、日本の文化も知りたい。　　　　　　　　[1]

　　　b. ほかの人の意見を聞いているだけでなく、自分の意見も言ったほうがいい。

　　　c. 水を飲めるようにするだけでなく、水が原因で病気になる人をなくすことである。

[練習1]　　　　　　　　　　　　　　　　　　　　　　　　　　　　　　　　　　　[5]

1. ほかの人の意見に反対するだけでなく、_____。

2. 留学生活では_____だけでなく、_____。

3. _____。

[練習2]

1. 先生：レポートはどうですか。　　　　　　　　　　　　　　　　　　　　　　　　　[10]

   学生：とても大変です。＿＿＿＿＿＿＿＿＿＿＿＿＿＿＿＿＿＿だけじゃなく、

   　　　＿＿＿＿＿＿＿＿＿＿＿＿＿＿＿＿＿＿なくてはいけませんから。

   先生：そうですね。でも、がんばって。

2. A：日本語の発音が上手にならないんです。

   B：そうですか。＿＿＿＿＿＿＿＿だけじゃなく、＿＿＿＿＿＿＿＿といいですよ。[15]

   A：そうですね。やってみます。

3. A：留学中に、チューターにすごくお世話になったんです。

   B：そうでしたか。

   A：ええ、＿＿＿＿＿＿＿＿だけじゃなく、＿＿＿＿＿＿＿＿てくれたんです。

   B：チューターがいい人で、よかったですね。　　　　　　　　　　　　　　　　　　[20]

   A：ええ、本当に。

● 語彙 ●

**意見	opinion	意见	의견	[2]
反対(する)	opposition (to oppose)	反对	반대(하다)	[6]
レポート	paper, report	报告	리포트	[10]
**発音(する)	pronunciation (to pronounce)	发音	발음(하다)	[14]
チューター	tutor	辅导教师, 指导员	튜터, 개인교사	[17]
すごい	enormous	（在数量、程度等方面)厉害的, 了不起	굉장하다, 대단하다	[17]
世話になる	to be under the care of someone	受到关照或帮助	돌보다	[17]

10　受身形の敬語(passive forms used as honorifics)　　　　　　　　　ス5 [20]
　　passive forms used as honorifics
　　被动形敬语
　　수동형 경어

> The basic honorifics in Japanese are explained in Chapter2, Grammar Review⑥. In addition, the passive form of a verb can also be used as an honorific expression. Look at the examples. Unlike the passive sentence ①, in the honorific use of the passive sentence ② the person who does the action is marked by the particle が and not by に.
>
> 例文① 社長に書類を読まれました。　'I was annoyed by the CEO having read the documents.'
> 例文② 社長が書類を読まれました。　'The CEO read the documents.'
>
> 日语基本的敬语表达已在〈第2课，语法复习⑥〉中有所介绍。除此之外，动词的被动形式有时也用来表示尊敬。请参看例句。注意：与被动句（①）不同，含有用来表示尊敬的被动形式的句子（②）的动作发出者后接助词「が」，而不是「に・から・によって」。
>
> 例文① 社長に書類を読まれました。　糟了，文件被总经理看了。
> 例文② 社長が書類を読まれました。　总经理看了文件。
>
> 일본어의 존경 표현의 기본은〈제2과, 복습 문법⑥〉에 있는 그대로지만, 그 외에도 동사의 수동형을 존경어로 사용하는 경우도 있습니다. 아래 예문을 보면 수동문(①)과는 달리 수동형을 존경어로 사용한 예문(②)의 동작주에는 '에・から・によって'가 아니라 '가'가 붙는다는 점에 주의하기 바랍니다.
>
> 例文① 社長に書類を読まれました。　사장님이 제 서류를 마음대로 읽으셨어요.
> 例文② 社長が書類を読まれました。　사장님이 서류를 읽으셨습니다.

[例]　a．先生は論文を書かれました（＝お書きになりました）。

　　　b．先生はさっき帰られました（＝お帰りになりました）。

　　　c．伊藤会長が引退されたそうだ。

[練習1]

次の尊敬表現を受身の尊敬語に変えなさい。

1．これは吉田先生がお書きになった本だ。
2．部長は石崎さんに書類をお渡しになった。
3．岸田先生がお帰りになった後で、電話があった。

[練習2]

受身の尊敬語を使いなさい。

1．太田先生：あ、このおかし……。
　　　学生：それ、足立先生が＿＿＿＿＿＿＿＿＿＿＿＿＿そうですよ。
　　太田先生：え、そうなの。おいしそう。

2．　　学生：渡辺先生、この間の足立先生の論文を＿＿＿＿＿＿＿＿＿＿か。
　　渡辺先生：ええ、もちろん。

3. 学生：江崎先生、今度、若者言葉に関するレポートを書きたいと思っているんですが、……。

江崎先生：それなら、山川先生が＿＿＿＿＿＿本を読んでみたらいいですよ。

学生：そうですか。何という本ですか。

● 語彙 ●

*論文	thesis, article, essay	论文	논문	[1]
書類	papers, documents	文件	서류	[7]
若者	the youth	年轻人	젊은이, 젊은 사람	[16]

11 V(stem)はしない　　　　　　　　　　　　　　　　　　　　　　ス5 [28]
　　one will never do ～
　　绝不～
　　V-지는 않겠다

> This pattern expresses the speaker's firm will not to do something. With the conjecture expressions such as だろう or と思う, it means the speaker firmly believes that something will not happen. This pattern is mainly used in written language and/or in formal speeches, and not used in everyday conversation. In conversation, you may simply say しないと思います, instead.
>
> 这个句型表示说话人不做某事的强烈意志。伴有「だろう」或「と思う」等时，表示说话人坚信某事不会发生，是比较生硬的书面语表达。口语中一般说成「しないと思います」。
>
> 말하는 이가 어떤 일을 하지 않겠다고 강한 의지를 표명하는 표현입니다. 또 'だろう'나 'と思う' 등을 동반하여, 말하는 이가 어떤 일이 일어나지 않는다는 것에 대해 강한 신념이 있다는 것을 나타내는 문어체의 딱딱한 표현입니다. 보통 구어체에서는 'しないと思います'를 사용합니다.

[例]　a．勉強で負けても、スポーツでは**負けはしない**。　　　　　　　　　[1]

　　　b．どんなに難しくても、**あきらめはしない**。

　　　c．いつまでも**忘れはしない**。

[練習1]

1．この仕事が好きだから、＿＿＿＿＿＿＿＿＿＿ても、やめはしない。

2．この本は難しいので、＿＿＿＿＿＿＿＿＿＿はしないだろう。[5]

3．＿＿＿＿＿＿＿＿＿＿＿＿＿＿＿＿＿＿＿＿＿＿＿＿＿＿＿。

接続表現①

1) それで
ス1 [6, 8]　ス5 [15]

due to that；consequently
所以；因此
그래서
cf. だから

[例]　a．あした試験があります。それで、あの学生は一生懸命勉強しています。　[1]
　　　b．きのうおそくまで勉強しました。それで、きょうはとても眠いです。

便利な表現①

① それ／N　なりの／なりに
ス5 [11]

in its own way；in one's own way
从自己的立场出发的；与自己相应的
그(N) 나름대로의／나름대로

[例]　a．子どももそれなりに／子どもなりに考えている。　[1]
　　　b．その問題については、私もそれなりの／私なりの意見がある。

ステップ ③ 聞こう

「国際交流サークルの説明会」

タスク

大学の国際交流サークルの説明会で、学生たちが話しています。あなたも参加しています。

[1] 何について話していますか。よく聞いて、質問に答えましょう。

①「一期一会」とはどのような意味ですか。
②このサークルは何をするサークルですか。
③木村さんは将来どういう仕事をしたいと思っていますか。
④川本さんはこのサークルでどのようなことをしたいと思っていますか。
⑤留学生のクレールさんは、日本に来て、どのようなことに困りましたか。

[2] 1）から10）の＿＿＿＿＿に言葉を書きましょう。

☞「聞き取り」の答え [239頁]

[3] a）～e）の～～～の表現は、どのようなときに使うと便利だと思いますか。

a）まず　　　　　b）あのう　　　　c）実は
d）できれば　　　e）～から一言、どうぞ

聞き取り

司会：こんにちは、みなさん、ぼくたち「いちGO！会」に来てくれて、ありがとうございます。「いちGO！会」の「いちGO！」は「一期一会」から来ていて、「一期一会」1)＿＿＿＿＿＿＿＿＿「ひとつひとつの出会いを大切に」2)＿＿＿＿＿＿＿＿＿です。で、このサークルは留学生のみなさんの日本語のお手伝いをしたり、一緒に活動したりして交流するサークルです。よろしくお願いします。じゃあ、a) まず、ぼくたちの自己紹介から始めたいと思います。だれから……

木村博：じゃあ、ぼく？ あ、はい、じゃあ、はじめまして。木村博です。経済学部の3年生です。去年、一年間、オーストラリアに留学していました。将来、海外で国際金融3)＿＿＿＿＿＿＿＿＿仕事に就きたくて、英語を4)＿＿＿＿＿＿＿＿＿、専門の勉強もと思って行ったんですけど、最初は買い物も難しくて、だれか5)＿＿＿＿＿＿＿＿＿と思ったこともありました。だから、今、みなさんが6)＿＿＿＿＿＿＿＿＿のがよく分かります。なので、何か少しでもみなさんのお役に立てるようにがんばりたいと思います。よろしくお願いします。

川本春乃：じゃ、次、私。b) あのう、みなさん、はじめまして。私は英語学科2年の川本春乃です。c) 実は、私はまだ留学した経験はないんですが、あ、あの、d) できれば来年くらいに留学できたらいいとは思っているんですけど、まだはっきりしていません。でも、卒業したら、絶対、国際協力に関わる仕事がしたいと思っています。それで、このサークルでお互いの国のことを教え合ったりして、留学生のみなさんと仲よくなって、一緒に7)＿＿＿＿＿＿＿＿＿と思ってます。

司会：はい、じゃあ、ここで、先輩の留学生 e) から一言、どうぞ。

クレール・ピノ：はい。みなさん、こんにちは。はじめまして。私はクレール・ピノと申します。半年前に、フランスから来ました。私は日本のマンガが好きで、フランスでも8)＿＿＿＿＿＿＿＿＿がんばって日本語を9)＿＿＿＿＿＿＿＿＿なんですけど、実際に日本に来て日本人と話してみたら、分からな

い言葉(ことば)がたくさんあって、もっともっと10)＿＿＿＿＿＿＿＿と思いました。それで、このサークルに入(はい)ったら、友だちもたくさんできたし、留学生活(せいかつ)も楽(たの)しくなって、よかったと思っています。将来(しょうらい)はマンガの翻訳(ほんやく)をしてみたいです。よろしくお願(ねが)いします。 [30]

司会(しかい)：じゃ、今度(こんど)は、新(あたら)しいメンバーのみなさん、自己紹介(じこしょうかい)をお願(ねが)いします。じゃ、そこの方(かた)、どうぞ……

● 語彙(ごい) ●

** 国際(こくさい)	international	国际	국제	[タスク]
* 交流(こうりゅう)(する)	exchange, interchange (to exchange, interchange)	交流	교류(하다)	[タスク]
* サークル	circle, club, group activities	社团	서클	[タスク]
* 参加(さんか)(する)	participation (to participate in)	参加	참가(하다)	[タスク]
司会(しかい)	moderator, master of ceremony	主持人	사회	[1]
一期一会(いちごいちえ)	once-in-a-lifetime chance	一生只遇一次	일생에 한 번뿐인 만남	[2]
* 出会(であ)い	encounter	邂逅，偶遇	만남	[3]
* 活動(かつどう)(する)	activity (to be active, play an active role in)	活动	활동(하다)	[5]
** 将来(しょうらい)	future, in days to come	将来	장래，미래	[9]
金融(きんゆう)	finance	金融	금융	[10]
仕事(しごと)に就(つ)く	to enter a job, start working	就业	일에 종사하다	[10]
** 専門(せんもん)	specialty, major	专业	전문	[11]
** 最初(さいしょ)	first, beginning, start	最初，起初	처음，최초	[11]
* 助(たす)ける	to help, assist	帮助，救助	도와주다	[12]
苦労(くろう)(する)	trouble, pain, suffering (to be troubled, suffer, worry)	艰苦，费事	고생(하다)	[13]
** 役(やく)に立(た)つ	to serve, help, contribute	有用，有帮助	도움이 되다	[14]
* 学科(がっか)	department	学科	학과	[16]

** 経験(する) けいけん	experience (to experience)	经历	경험(하다)	[17]
* 協力(する) きょうりょく	cooperation, collaboration (to cooperate, collaborate)	合作	협력(하다)	[19]
* (お)互い たが	mutually, each other, one another	互相	서로	[20]
V(stem)-合う あ	to do 〜 each other, mutually	互相〜	서로 〜하다	[21]
** 先輩 せんぱい	senior, upperclassman	同一个学校或工作单位中先进来的人	선배	[23]
* 一言 ひとこと	a few words, comment	简短的话，只言片语	한마디	[23]
それなりに	in its own way	相应地，恰如其分地	그 나름대로	[26]
* 実際に じっさい	really, actually, practically	实际上	실제로	[27]
** 翻訳(する) ほんやく	translation (to translate)	翻译	번역(하다)	[30]

ステップ ❹ 話そう・書こう
「顔合わせ会で自己紹介」
「将来の希望」

目標 ■意見や希望が話せるようになる

会話 1

学生とチューターが顔合わせ会で自己紹介をしています。＿＿＿のところに気をつけて聞きましょう。そして、a、bについて考えましょう。

鈴木：こんにちは。

　　　みなさん、きょうは「チューターとの顔合わせの会」に来てくれて、ありがとうございます。
　　　ぼくは、経営学科2年の鈴木一郎です。よろしくお願いします。
　　　まず、自己紹介から始めたいと思います。じゃあ、そこの方からどうぞ。

アンドリュー：はい、はじめまして。
　　　アメリカから来たアンドリュー・ウィルソンです。
　　　今、経済学部の3年で、特にアジア経済が専門です。卒業したら、国際協力に関わる仕事がしたいと思っています。趣味は音楽で、きのう「世界の音楽クラブ」というサークルに入りました。

> a. あいさつをする
> Greetings
> 打招呼/问候
> 인사를 한다 [1]

> b. 簡単な自己紹介をする
> Give a brief self-introduction
> 简短地自我介绍
> 간단한 자기 소개를 한다 [5]

> a. あいさつをする
> Greetings
> 打招呼/问候
> 인사를 한다 [10]

<u>勉強だけでなくサークル活動もして、日本のことを理解して、自分の国のことも紹介したいと思います</u>。どうぞよろしくお願いします。

> b. 簡単な自己紹介をする
> Give a brief self-introduction
> 简短地自我介绍
> 간단한 자기 소개를 한다　[15]

鈴木：はい、ありがとうございます。じゃ、次の方、お願いします。

● 語彙 ●

顔合わせ	meeting for introduction	聚会, 碰头	얼굴 마주하기, 첫 만남	[2]
*経営（する）	management	经营	경영(하다)	[4]
**特に	especially	特别是	특히	[11]
アジア	Asia	亚洲	아시아	[11]

会話 2

大学祭の企画について学生たちが話しています。_____のところに気をつけて聞きましょう。そして、a～iについて考えましょう。

☞「会話」のインフォーマル・スタイル [241頁]

司会：じゃあ、<u>大学祭の企画についてですが、何か提案がありますか</u>。

> a. 話を始める
> Open the conversation
> 开始发言
> 이야기를 시작한다　[1]

A：<u>いろいろな国の音楽が聞けるカフェをやる</u>というのはどうでしょうか。

> b. 提案する
> Make a proposal
> 提议
> 제안한다　[5]

B：いいですね。

C：それもいいけど、音楽が中心の企画のほうがいいんじゃないでしょうか。

司会：そうですね。
でも、音楽が中心の企画って、例えば？

C：ええと、いろいろな国の歌を歌うカラオケみたいなのはどうでしょう。

B：ううん。
楽しいかもしれないけど、大学祭でカラオケはちょっと……。

司会：そうですね。カラオケはいつでもできるから、もっと大学生らしい企画の方がいいかもしれませんねえ。

A：じゃあ、民族衣装を着てその国の歌を歌うっていうのはどうですか。

B：いいかもしれないけど、特に民族衣装がない国もあるんじゃないですか。

C：そうですね。じゃあ、民族衣装をやめて、それぞれが自分の国の歌を紹介することにしませんか。

全員：ああ、それがいいですね。

---

c. コメントして提案する
Respond with a counter proposal
评论并提议
코멘트를 하고 제안한다

d. コメントしてくわしい説明を聞き出す
Comment and elicit further information
评论并要求具体说明
코멘트를 하고 자세한 설명을 요구한다
[10]

e. 具体的に話す
Give concrete information
具体地说
구체적으로 말한다

f. コメントする
Respond with a comment
评论
코멘트를 한다
[15]

g. ほかの提案をする
Make a counter proposal
给出其他提议
다른 제안을 한다
[20]

h. 解決策を出して話を終わらせる
Close the conversation with a solution
给出解决方案，结束发言
해결책을 내고 이야기를 끝낸다

i. 賛成する
Express agreement
赞成
찬성한다
[25]

● 語彙 ●

企画(する)きかく	plan, project (to make a plan)	计划	기획(하다)	[1]
*提案(する)ていあん	proposal, suggestion (to propose, suggest)	提议	제안(하다)	[2]
カフェ	cafe	咖啡馆	카페	[3]
*中心ちゅうしん	center	中心	중심	[6]
*カラオケ	karaoke	卡拉OK	노래방	[10]
民族みんぞく	race	民族	민족	[18]
衣装いしょう	clothes, costume	服装	의상	[18]
*それぞれ	each	各个，各自	각각	[23]

会話 3

次の中から一つ選んで、どのようなことを話すか考えましょう。それから、会話2のように相談しましょう。

- 日本語のクラスでの大学祭の企画（劇、模擬店など）
- 卒業旅行
- 卒業パーティー
- そのほか

● 語彙 ●

| 劇げき | play | 戏剧 | 극 | |
| 模擬店もぎてん | refreshment booth | （游园会或校园文化节等活动时的）临时店铺 | 모의 가게 | |

ロールプレイ

AかBになって話しましょう。

カードA

あなたは大学の3年生です。卒業したら国で就職するつもりでしたが、日本の大学院への進学も考えています。チューターに相談して下さい。

You are in your third year of university. You are thinking about going back to your home country to work after graduation, but are also thinking about entering graduate school in Japan. Discuss this with your tutor.

你是大学三年级的学生。本来打算大学毕业后在自己的国家工作，但是现在想到日本的研究生院深造。请就这个想法跟你的指导员商量一下。

당신은 대학교 3학년입니다. 졸업하면 모국에서 취직할 생각이었지만 일본의 대학원에 진학할 생각도 하고 있습니다. 튜터에게 상담을 해 보세요.

カードB

あなたはAさんのチューターです。Aさんの話を聞いて下さい。自分の考えも話して下さい。

You are A's tutor. Listen to what s/he has to say and state your own thoughts as well.

你是A同学的指导员。请先听一下A同学的话，然后谈谈你的想法。

당신은 A 씨의 튜터입니다. A 씨의 이야기를 듣고 자신의 생각도 말해 보세요.

スピーチ

あなたの将来の希望について、スピーチをしましょう。

　　［ポイント1］　どんな希望か。

　　［ポイント2］　その理由は何か。

　　［ポイント3］　その希望のために、どのような計画を考えているか。

作文

この課で勉強した文法や語彙を使って、スピーチの内容を「だ・である体」で書きましょう。タイトルは「私の将来の希望」、字数は400〜600字です。

ステップ❺ 挑戦しよう
「会長からもらった宝物」

予習シート

読む前に

[1] あなたの夢や計画に関して、今までに「この人と会えてよかった」と思う人はいますか。

[2] その人はどのような人ですか。

読みながら

[1] この人が伊藤会長と初めて会ったのはいつですか。

[2] この人は伊藤会長とよく会っていますか。

[3] この人は伊藤会長からどのような影響を受けましたか。

[4] 影響を受けた例を具体的に挙げてください。

[5] [4]の結果、この人はどのような挑戦をしましたか。

[6] この人は会長にどんなお礼をしましたか。どうしてそれをあげましたか。

[7] この人が会長からもらった宝物は、どのようなものですか。

読んだ後で

[1] あなたの夢や計画に影響を与えた人との具体的な経験を教えてください。

[2] これを書いたのは、張国海さん(1978年生まれ。2002年来日。起業家)です。どのような人か、もっと調べてみましょう。

本文

> フリガナなし

会長からもらった宝物 [1]

　2008年に大学を卒業し、僕は今の会社に入社したが、(中略) 久々に行った西京極で伊藤会長と会えた。卒業後、会社に勤めていることを会長さんに報告した。以前と同じようにお元気な姿を拝見し、すごく嬉しかった。「頑張って」とバイト時代と同じように激励していただいた。 [5]
　会長さんの言葉はいつも簡潔である。だが、僕には意義深かった。その言葉は僕の人生にすごく影響を与えた。
「日本語を話せること以外に、何か出来る？」
「日本語をもっと勉強しないと……」
などは未だに鮮明に頭に響いている。 [10]
　今まで僕は「日本語がうまいね！」と言われることがあり、それなりに自信を持っていた。しかし、日本には留学生が年々増えていく傾向にあり、日本語をマスターしている外国人は少なくないそうだ。「日本語を話せる」ことを自分の武器だと過信するのは甘いと目が覚めた。(中略)
　それで僕は、日本語をもっとうまく喋りたいという気持ちを、常に持たないといけ [15]ないと思うようになった。思うだけでなく、行動に移した。そして特許法を専攻し、友人の紹介でそれに関わる通訳の仕事も経験した。
　2007年9月、日本の文化財保護に携わる団体の委託で、中国四川省から訪日してきた国家文化財の修復を行う中国の方の通訳も経験した。
　2009年6月、伊藤会長が引退されたそうだ。今後、お会いする機会が少なくなる [20]かもしれないが、僕は会長と蕎麦屋で出会ったことを一生忘れない。
　僕からの唯一のプレゼントは、お坊さんに書いてもらった「炯々有神」（ジュンジュンユ セン）という書だった。僕の感謝の気持ちを込めたつもりである。会長はそれを家に飾ってくれたそうで、すごく嬉しい。「炯々有神」（ジュンジュンユ セン）とは、目からパワーを発しているようだという意

味の言葉で、会長の目を思い浮かべるとき、ぴったりの言葉だと思っている。 [25]

会長からいただいた宝物は、(中略)「日本語をもっと勉強しなさい」という叱咤激励、そして、「先のことを考えて、今からどうするか」という考え方だ。いつまでも忘れはしない。

(張国海『ホームレス留学生』風詠社、2010年)

フリガナつき

会長からもらった宝物 [1]

2008年に大学を卒業し、僕は今の会社に入社したが、(中略)久々に行った西京極で伊藤会長と会えた。卒業後、会社に勤めていることを会長さんに報告した。以前と同じようにお元気な姿を拝見し、すごく嬉しかった。「頑張って」とバイト時代と同じように激励していただいた。 [5]

会長さんの言葉はいつも簡潔である。だが、僕には意義深かった。その言葉は僕の人生にすごく影響を与えた。
「日本語を話せること以外に、何か出来る?」
「日本語をもっと勉強しないと……」
などは未だに鮮明に頭に響いている。 [10]

今まで僕は「日本語がうまいね!」と言われることがあり、それなりに自信を持っていた。しかし、日本には留学生が年々増えていく傾向にあり、日本語をマスターしている外国人は少なくないそうだ。「日本語を話せる」ことを自分の武器だと過信するのは甘いと目が覚めた。(中略)

それで僕は、日本語をもっとうまく喋りたいという気持ちを、常に持たないといけ [15]
ないと思うようになった。思うだけでなく、行動に移した。そして特許法を専攻し、友人の紹介でそれに関わる通訳の仕事も経験した。

2007年9月、日本の文化財保護に携わる団体の委託で、中国四川省から訪日してきた国家文化財の修復を行う中国の方の通訳も経験した。

2009年6月、伊藤会長が引退されたそうだ。今後、お会いする機会が少なくなる [20]
かもしれないが、僕は会長と蕎麦屋で出会ったことを一生忘れない。

僕からの唯一のプレゼントは、お坊さんに書いてもらった「炯々有神」という書だった。僕の感謝の気持ちを込めたつもりである。会長はそれを家に飾ってくれたそうで、すごく嬉しい。「炯々有神」とは、目からパワーを発しているようだという意味の言葉で、会長の目を思い浮かべるとき、ぴったりの言葉だと思っている。

会長からいただいた宝物は、(中略)「日本語をもっと勉強しなさい」という叱咤激励、そして、「先のことを考えて、今からどうするか」という考え方だ。いつまでも忘れはしない。

[25]

(張国海『ホームレス留学生』風詠社、2010年)

● 語彙 ●

会長 かいちょう	company chairperson	会长 (日本公司中位居总经理之上的职务)	회장	[1]
*宝物 たからもの	treasure, valuable thing, precious thing	宝物，贵重物品	보물	[1]
*入社(する) にゅうしゃ	entering a company (to join a company, to be accepted by a company)	进入公司，成为公司的职员	입사(하다)	[2]
久々に ひさびさ	ひさしぶりに (lit. it's been a long time since)	隔了好久，许久	오래간만에, 오랜만에	[2]
西京極 にしきょうごく	busy district in downtown Kyoto	西京极 (京都的繁华区)	니시쿄우고쿠 (교토의 한 지명)	[2]
伊藤会長 いとうかいちょう	Chairman Mr.Ito (the chainman of KYOCERA Corporation)	伊藤会长 (京瓷公司的会长)	이토 회장	[3]
*報告(する) ほうこく	report (to report)	报告	보고(하다)	[3]
以前 いぜん	before, earlier	以前	예전	[3]
姿 すがた	figure, shape, appearance	姿容，装束，举止	모습	[4]
**拝見する はいけん	to look at ~ (humbly)	看(自谦语)	뵙다	[4]
**時代 じだい	age, period, era, epoch	时代	시절, 시대	[4]
激励(する) げきれい	cheer, encouragement (to encourage, stimulate)	激励，鼓励	격려(하다)	[5]
簡潔(な) かんけつ	concise, compact, brief	简洁(的)	간결(한)	[6]
意義深い いぎぶか	meaningful, significant	有意义的，重要的	의미심장하다	[6]

* 人生 じんせい	one's life	人生	인생	[7]
与える あた	to give	给予	주다, 부여하다	[7]
** ～以外に いがい	other than ～, besides ～	～以外	～이외에	[8]
未だに いま	still, yet	未, 尚未	아직까지	[10]
鮮明(な) せんめい	vivid, clear, sharp	鲜明(的)	선명(한)	[10]
響く ひび	to sound, vibrate, affect	响, 回响, 影响	울리다	[10]
自信 じしん	confidence	自信	자신	[11]
** 増える ふ	to increase	增多	늘다, 증가하다	[12]
傾向にある けいこう	to tend to ～, be inclined to ～	倾向于, 有～的倾向	경향이 있다	[12]
武器 ぶき	weapon	武器	무기	[13]
過信(する) かしん	too much confidence (to have too much confidence in)	过于自信	과신(하다)	[13]
** 甘い あま	easy, lenient, optimistic	宽松的, 容易的, 乐观的	만만하다, 무르다, 달다	[14]
目が覚める めざ	to wake, awake	苏醒, 清醒	눈을 뜨다, 정신을 차리다	[14]
喋る しゃべ	to talk	说	말하다	[15]
常に つね	always	总是	항상, 언제나	[15]
行動に移す こうどう うつ	to put into an action, to act	付诸行动	행동으로 옮기다	[16]
特許 とっきょ	patent	专利	특허	[16]
* －法 ほう	law, legislation	～法律、法规	～법	[16]
* 専攻(する) せんこう	one's major (to specialize in)	专攻, 专修, 专门研 究, 以～为专业	전공(하다)	[16]
* 友人 ゆうじん	friend	朋友	친구	[17]
* 通訳(する) つうやく	interpretation (to interpret)	翻译, 口译	통역(하다)	[17]
文化財 ぶんかざい	cultural asset, cultural treasure	文化遗产	문화재	[18]
保護(する) ほご	protection, conservation (to protect, conserve)	保护	보호(하다)	[18]

～に携わる たずさ	to engage in, involve in	参与，从事	～에 종사하다	[18]
団体 だんたい	group	団体	단체	[18]
委託(する) いたく	trust, commission (to entrust, commit, confide)	委托	위탁(하다)	[18]
四川省 しせんしょう	Sichuan province (China)	四川省	쓰촨성 (중국의 한 지명)	[18]
訪日(する) ほうにち	visit to Japan (to visit Japan)	访问日本	방일(하다)	[18]
国家 こっか	nation state	国家	국가	[19]
修復(する) しゅうふく	repair, restoration (to repair, restore, renovate)	修复	수복(하다)	[19]
** 行う おこな	to do, practice, perform	进行，实行，举行	행하다, 수행하다	[19]
引退(する) いんたい	retirement, withdrawal (to retire)	引退，退职，退役	은퇴(하다)	[20]
** 機会 きかい	chance, opportunity	机会	기회	[20]
蕎麦屋 そばや	noodle shop	荞麦面店铺	메밀국수 가게	[21]
一生 いっしょう	one's whole life	一生	일생	[21]
唯一 ゆいいつ	the one and only	唯一	유일	[22]
お坊さん ぼう	monk, priest	和尚	스님, 중	[22]
書 しょ	calligraphy	书法	필서	[22]
* 感謝(する) かんしゃ	gratitude, appreciation (to appreciate, thank)	感谢	감사(하다)	[23]
気持ちを込める きも こ	to fill something with one's feeling	倾注某人的心意	마음을 담다	[23]
** 飾る かざ	to decorate	装饰	장식하다	[23]
発する はっ	to give off, emit, utter	发出	발하다, 나오다	[24]
思い浮かべる おも う	to recall, visualize	回忆起，在心中描绘	떠올리다	[25]
叱咤激励(する) しった げきれい	cheer, encouragement (to encourage, stimulate)	大声地激励，鼓励	질타와 격려(를 하다)	[26]
先のこと さき	what lies ahead, the outlook	以后的事情	앞으로의 일, 장래일	[27]

第3課

違いを考える
（ちが　　かんが）

ステップ❶ 読もう
「日本人の宗教に対する考え方」
（にほんじん　しゅうきょう　たい　かんが　かた）
■予習シート　■本文
（よしゅう）　（ほんぶん）

ステップ❷ 整理しよう
（せいり）
文法と表現
（ぶんぽう　ひょうげん）
■この課の文法と表現　■新しい文法①〜⑩　■接続表現①〜③　■便利な表現①
（か　ぶんぽう　ひょうげん）（あたら　ぶんぽう）（せつぞくひょうげん）（べんり　ひょうげん）

ステップ❸ 聞こう
（き）
「何か宗教を信じていますか」
（なに　しゅうきょう　しん）
■タスク　■聞き取り
（き　と）

ステップ❹ 話そう・書こう
（はな　か）
「大学1年生の生活実態」
（だいがく　ねんせい　せいかつじったい）
「大学のサークル活動」
（かつどう）
■目標　■データを使って話せるようになる・意見が言えるようになる
（もくひょう）　　　　（つか　はな）　　　（いけん　い）
■会話1　■会話2　■会話1の参考　■ロールプレイ　■スピーチ　■作文
（かいわ）　（かいわ）　（かいわ　さんこう）　　　　　　　　　　　　（さくぶん）

ステップ❺ 挑戦しよう
（ちょうせん）
「日本人になりたかった私」
（わたし）
■予習シート　■本文
（よしゅう）　（ほんぶん）

ステップ❶ 読もう
「日本人の宗教に対する考え方」

予習シート

読む前に

[1] あなたの国・住んでいる所には、どのような宗教がありますか。

[2] その宗教に関係して、どのようなことをしますか。（例：クリスマスのお祝い、初詣など）

読みながら

[1] アユさんは、何について作文を書きましたか。

[2] どうしてこのトピックを選びましたか。

[3] ホームステイをした家でどのような経験をしましたか。

[4] その経験について、どう感じましたか。

[5] 山本さんは、[3]についてどのように感じていますか。

[6] アユさんは、今、どのような行動をしていますか。それは何のためですか。

読んだ後で

[1] 山本さんのような、日本人の考え方や行動について、あなたはどう考えますか。経験や感想、意見などを話し合いましょう。

本文

フリガナなし

日本人の宗教に対する考え方　　　　　　　　　　　アユ・ラズリ

　日本に留学して3ヵ月が過ぎた。毎日、日本語の勉強をするだけではなく、インドネシアと日本の違いは何かについて考えるようにしている。

　このあいだ、「外国人ゆえの発見！」をしたので、きょうはそれについて書きたい。

　この週末、私は横浜の山本さんという人の家にホームステイをした。山本さんはとても親切でやさしい人だ。家には家族の写真がたくさんかざってあった。1枚は山本さんの娘さんの結婚式のときの写真だった。教会で結婚式をしたそうだ。もう1枚は山本さんの娘さんが赤ちゃんを抱っこしている写真だった。神社の前で、着物を着た娘さんと、スーツ姿の娘さんのご主人がうれしそうに立っていた。日本には「お宮参り」という習慣があって、赤ちゃんが生まれると近所の神社で赤ちゃんの健やかな成長を願うのだそうだ。となりには、今年のお正月に神社へ初詣に行ったときの写真もあった。しかし、山本さんの家には仏壇というものもおいてある。これは仏式なのだそうだ。

　つまり、山本さんの家は、赤ちゃんが生まれたときは神道、結婚式はキリスト教、お葬式は仏教で行っているわけだ。このようなことからすると、山本さんにとって宗教は一つと言えないようだ。むしろ、「神様なら何でもいい」といったところだ。それは、イスラム教徒の私にとって、なかなか理解できないし、行動が矛盾しているような気がする。でも、山本さんにとっては、特に不自然なことではないようだ。

　日本には、いろいろな宗教的な行事や習慣があって、多くの人がそれを楽しんでいるとも言えるだろう。私はここがおもしろいと思った。

　このホームステイの後、私は日本人にとって宗教とは何かについて考えるようになった。実際に日本に来て日本の生活を経験している学生として、ぜひ答えを見つけたいと思う。

　機会があったら、クラスのみんなにも一緒に考えてほしい。　　　　（アユの作文）

フリガナつき

日本人の宗教に対する考え方

アユ・ラズリ

日本に留学して3ヵ月が過ぎた。毎日、日本語の勉強をするだけではなく、インドネシアと日本の違いは何かについて考えるようにしている。

このあいだ、「外国人ゆえの発見！」をしたので、きょうはそれについて書きたい。

この週末、私は横浜の山本さんという人の家にホームステイをした。山本さんはとても親切でやさしい人だ。家には家族の写真がたくさんかざってあった。1枚は山本さんの娘さんの結婚式のときの写真だった。教会で結婚式をしたそうだ。もう1枚は山本さんの娘さんが赤ちゃんを抱っこしている写真だった。神社の前で、着物を着た娘さんと、スーツ姿の娘さんのご主人がうれしそうに立っていた。日本には「お宮参り」という習慣があって、赤ちゃんが生まれると近所の神社で赤ちゃんの健やかな成長を願うのだそうだ。となりには、今年のお正月に神社へ初詣に行ったときの写真もあった。しかし、山本さんの家には仏壇というものもおいてある。これは仏式なのだそうだ。

つまり、山本さんの家は、赤ちゃんが生まれたときは神道、結婚式はキリスト教、お葬式は仏教で行っているわけだ。このようなことからすると、山本さんにとって宗教は一つと言えないようだ。むしろ、「神様なら何でもいい」といったところだ。それは、イスラム教徒の私にとって、なかなか理解できないし、行動が矛盾しているような気がする。でも、山本さんにとっては、特に不自然なことではないようだ。

日本には、いろいろな宗教的な行事や習慣があって、多くの人がそれを楽しんでいるとも言えるだろう。私はここがおもしろいと思った。

このホームステイの後、私は日本人にとって宗教とは何かについて考えるようになった。実際に日本に来て日本の生活を経験している学生として、ぜひ答えを見つけたいと思う。

機会があったら、クラスのみんなにも一緒に考えてほしい。

（アユの作文）

●語彙●

宗教(しゅうきょう)	religion	宗教	종교	[1]
〜に対する(たい)	☞New Grammar ①	☞新语法 ①	☞새로운 문법 ①	[1]
*考え方(かんが かた)	way of thinking	想法	생각	[1]
*過ぎる(す)	to pass, elapse	超过	지나다	[2]
インドネシア	Indonesia	印度尼西亚	인도네시아	[2]
*違い(ちが)	difference	不同	차이	[3]
**〜について	about 〜, concerning 〜	关于〜，就〜	〜에 대해서	[3]
〜ゆえ	☞New Grammar ②	☞新语法 ②	☞새로운 문법 ②	[4]
発見(する)(はっけん)	discovery (to discover, notice)	发现	발견(하다)	[4]
横浜(よこはま)	Yokohama City	横滨	요코하마 (일본의 한 지명)	[5]
**娘さん(むすめ)	someone's daughter	女儿	딸	[7]
*結婚式(けっこんしき)	wedding ceremony	婚礼	결혼식	[7]
**教会(きょうかい)	Christian church	教堂	교회	[7]
抱っこ(する)(だ)	holding a baby in one's arms (to hold a baby in one's arms)	怀抱(婴儿)	안다	[8]

**神社 じんじゃ	Shinto shrine	神社	신사	[8]
スーツ姿 すがた	someone in a suit	身着西装(的样子)	양복 차림	[9]
*主人 しゅじん	husband, master of the house	丈夫，主人	남편	[9]
**うれしい	happy, glad, pleased	高兴	기쁘다	[9]
お宮参り みやまい	the custom of taking a newborn infant to the local Shinto shrine	带初生婴儿参拜神社祈福	신사에서 기원을 드리는 것	[9]
**習慣 しゅうかん	custom, habit, practice	习惯	습관	[10]
健やか(な) すこ	wholesome, healthy	健康(的)	건강(한)	[10]
成長(する) せいちょう	growth (to grow, grow up)	成长	성장(하다)	[10]
*願う ねが	to wish, hope, desire	祈愿	기원하다	[11]
初詣 はつもうで	paying a visit to a shrine or a temple on New Year's Day	正月里前往神社或寺庙的首次参拜	새해에 신사나 절에 가서 기원을 드리는 일	[11]
仏壇 ぶつだん	household Buddhist altar	(供奉神佛或祖先的)神龛	불단	[12]
仏式 ぶっしき	Buddhist style	以佛教仪式举行的葬礼或婚礼	불교식	[12]
*つまり	in short, in other words	总之，也就是说	즉	[14]
神道 しんとう	Shintoism	神道	신도 (일본의 종교)	[14]
*葬式 そうしき	funeral	葬礼	장례식	[15]
仏教 ぶっきょう	Buddhism	佛教	불교	[15]
〜わけだ	☞New Grammar 3	☞新语法 3	☞새로운 문법 3	[15]
〜からすると	☞New Grammar 4	☞新语法 4	☞새로운 문법 4	[15]
*〜にとって	☞New Grammar 5	☞新语法 5	☞새로운 문법 5	[15]
むしろ	rather	宁可〜，不如〜	오히려	[16]
〜といったところだ	☞New Grammar 6	☞新语法 6	☞새로운 문법 6	[16]
イスラム教 きょう	Islam, Muslim	伊斯兰教	이슬람교	[17]
−教徒 きょうと	believer in 〜	〜教徒	〜교인, 〜교도	[17]

**なかなか〜ない	not 〜 easily	(不)轻易，(不)简单，(不)容易	좀처럼 〜하지 않다	[17]
*理解(する) りかい	understanding (to understand)	理解	이해(하다)	[17]
*行動(する) こうどう	behavior, act, action, deed (to act, behave)	行动	행동(하다)	[17]
矛盾(する) むじゅん	contradiction, paradox, incoherence (to contradict)	矛盾	모순(되다)	[17]
〜ような気がする き	☞New Grammar 7	☞新语法 7	☞새로운 문법 7	[17]
*不自然(な) ふしぜん	unnatural, artificial	不自然	부자연스러운	[18]
宗教的(な) しゅうきょうてき	religious	宗教的	종교적인	[19]
行事 ぎょうじ	event, function	(按惯例或计划举行的)仪式或活动	행사	[19]
として	☞New Grammar 8	☞新语法 8	☞새로운 문법 8	[22]
**ぜひ	by all means, at all cost	务必	꼭	[22]

ステップ❷ 整理しよう
文法と表現

この課の文法と表現

復習文法

初級で勉強した文法をチェックしましょう。忘れていたら、復習しましょう。

☞ **復習文法** [232頁]

① V-てある（結果） ス1 [6, 12]
② V(non-past) と S(non-past)（条件） ス1 [10]
③ V-てほしい ス1 [24] ス5 [20]

新しい文法

1 N1に対してN2 / N1に対するN2　　　　　　　　　　ス1 [1]　ス5 [3, 4, 13]
2 S(plain) / N ゆえのN　　　　　　　　　　　　　　ス1 [4]　ス5 [31]
3 S(plain) わけだ　　　　　　　　　　　　　　　　　ス1 [15]　ス5 [22]
4 N からすると　　　　　　　　　　　　　　　　　　ス1 [15]　ス5 [22]
5 N にとって　　　　　　　　　　　　ス1 [15, 17, 18, 21]　ス5 [11, 25]
6 N といったところだ　　　　　　　　　　　　　　　ス1 [16]　ス5 [31]
7 S(plain) ような気がする　　　　　　　　　　　　　ス1 [17]　ス5 [7]
8 N として　　　　　　　　　　　　　　　　　　　　ス1 [22]　ス5 [24]
9 S(plain past) とする　　　　　　　　　　　　　　　　　ス5 [15, 18]
10 S1(predicate たら-form), S2(plain past) だろう　　　　　ス5 [21]

接続表現

1. むしろ　　　　　　　　　　　　　　　　　　　　　　　　　　　　　　　　ス1 [16]

2. S1。ただ(し)、S2。　　　　　　　　　　　　　　　　　　　　　　　　　　ス5 [12]

3. あるいは　　　　　　　　　　　　　　　　　　　　　　　　　　　　　　　ス5 [19]

便利な表現

1. なかなか〜できない　　　　　　　　　　　　　　　　　　　　　ス1 [17]　ス5 [11]

新しい文法 1〜10

1　N1に対してN2/N1に対するN2　　　　　　　　　　　　　　ス1 [1]　ス5 [3, 4, 13]

N2 in contrast with N1 ; N2 toward N1 ; N2 against N1
与N1相対的N2；针对N1的N2
N1에 대해 N2 ; N1에 대한 N2
cf.　Nに対してV

The basic meaning of the verb 対する is that of contrast. N1に対してN2 presents N2 in contrast with N1, where N1 and N2 are comparable to each other, like boys and girls, men and women, etc. N1 に対する N2, however, indicates either that N1 is in contrast with N2 or that N2 is targeted toward N1 as in 相手に対する気持ち 'feeling toward the addressee', 子どもに対する嘘 'lies directed towards children'. There is a similar patter to this Nに対してV, which means that one takes the action denoted by V which is targeted at N, such as 会社に対して賃上げを要求した 'we demanded the company to raise our wages'.

动词「対する」的基本意义是对照，因此「N1に対してN2」用于将N2与N1进行对比。N1和N2通常是大人和孩子、男人和女人等容易成为比较对象的事物。另一方面，「N1に対するN2」除 "N2与N1形成对照" 的意思以外，还可以表示 "N2以N1为对象"，后者的例子有「相手に対する気持ち」(对对方的心意)、「子どもに対する嘘」(对孩子撒的谎)等。类似的表达还有「Nに対してV」，但这个表达里的V通常表示抗议、要求等，N表示这些行为的对象，例如「会社に対して賃上げを要求した」(向公司要求提高工资)等。

'対する'라는 동사의 기본적인 뜻은 대조하는 것으로, 'N1に対してN2'는 N2를 N1와 비교하여 제시할 때 사용합니다. N1와 N2에는 주로 어른과 아이, 남성과 여성 등과 같이 비교하기 쉬운 대상이 옵니다. 한편 'N1に対するN2'는 'N1와 대조적으로 N2'라는 뜻과 'N1를 목표로 하는 N2'라는 뜻이 있습니다. 후자의 예로는 '相手に対する気持ち(상대방에 대한 마음)이나 '子どもに対する嘘(아이에 대한 거짓말)' 등이 있습니다. 유사한 표현으로 'Nに対してV'가 있는데, 이 경우 V에는 항의나 요구 등을 나타내는 것이 오며, N은 그 행위의 대상을 나타냅니다. 예문으로는 '会社に対して賃上げを要求した(회사에 대해 임금 인상을 요구했다)' 등이 있습니다.

［例］　a.「ごはんの文化」に対して「パンの文化」があると思う。

　　　　b. 目上の人や知らない人に対して丁寧に話した方がいい。

　　　　c.「日本人の宗教に対する考え方」

［練習１］

1. 日本語には、ひらがなに対して＿＿＿＿＿＿＿があり、外来語を書くときに使われる。

2. 目上の人に対する言葉づかいは＿＿＿＿＿＿＿＿＿＿＿＿＿＿＿＿＿＿＿＿＿＿。

3. ＿＿＿＿＿＿＿＿＿＿＿＿＿＿＿＿＿＿＿＿＿＿＿＿＿＿＿＿＿＿＿＿＿＿＿＿。

［練習２］

1. Ａ：最近、みんな手紙を書かなくなりましたね。

　　Ｂ：ええ、手紙に対してメール＿＿＿＿＿＿＿＿＿＿＿＿＿＿＿＿＿＿＿＿＿。

　　Ａ：そうですね。

2. Ａ：先生に推薦状を頼みたいんだけど、なかなか会えないのでメールでもいいかな。

　　Ｂ：うーん。＿＿＿＿＿＿＿＿に対して、メールは＿＿＿＿＿＿＿＿＿＿＿＿＿＿。

　　Ａ：やっぱり。

3. Ａ先生：いじめが増えていますが、この＿＿＿＿＿＿＿＿＿＿＿に対するＢ先生の

　　　　　お考えはいかがですか。

　　Ｂ先生：そうですね。やはり学校教育が大事だと思います。

　　Ａ先生：そうですね。でも、学校教育に対して＿＿＿＿＿＿＿＿＿も大事ですね。

　　Ｂ先生：それはもちろんですね。

● 語彙 ●

賃上げ	raise (in one's wages)	涨(工资)	집세 인상	[✓]
要求(する)	demand (to demand)	要求	요구(하다)	[✓]
外来語	foreign loan words	外来语	외래어	[5]
目上	superior	长辈, 上司, 年长者	윗사람	[6]
言葉づかい	choice of words	措辞, 说法	말씨, 말투	[6]

2 S(plain)/N1ゆえのN2

N2 because of S/N1 ; N2 due to S/N1
起因于S/N的N
S/N(이)기 때문에 생기는/가능한 N

> ゆえ is an expression meaning a reason or a cause, and is the equivalent of (だ)から(こそ), but it is far more formal than から. It is more often used in formal writing than in conversation.
>
> 「ゆえ」相当于「(だ)から(こそ)」，表示原因、理由，比「から」生硬，多用于书面语，口语中较少使用。
>
> 'ゆえ'는 '(だ)から(こそ)'와 비슷하게 원인이나 이유를 나타내는 말인데, 'から'보다 딱딱한 표현입니다. 구어체보다 문어체에 많이 사용됩니다.

[例]　a．サイバー・テロはインターネット社会ゆえの問題だ。
　　　b．パワー・ハラスメントは現代社会ゆえの問題だ。
　　　c．「外国人ゆえの発見！」をした。

[練習1]

1．漢字が難しいのは、＿＿＿＿＿＿＿＿＿＿＿＿＿＿＿＿＿ゆえの悩みだ。
2．いじめは、＿＿＿＿＿＿＿＿＿＿＿＿＿＿＿＿＿＿＿＿ゆえの問題だ。
3．＿＿＿＿＿＿＿＿＿＿＿＿＿＿＿＿＿＿＿＿＿＿＿＿＿＿＿＿＿。

[練習2]

1．A：日本で生活していて、留学生ゆえの悩みがありますか。
　　B：ええ、もちろん。＿＿＿＿＿＿＿＿＿＿＿＿＿＿ときがあります。
　　A：そうかもしれませんね。大変ですね。

2．A：日本で生活していて、外国人ゆえの疑問がありますか。
　　B：ええ、もちろん。＿＿＿＿＿＿＿＿＿＿＿＿＿＿と思います。
　　A：そうですか。

3．A：最近、どうですか。
　　B：やりたいことが多すぎて、寝る時間がないんです。
　　A：ああ、それは＿＿＿＿＿＿＿＿ゆえの＿＿＿＿＿＿＿＿ですね。

●語彙●

サイバー・テロ	cyber terrorism	网络恐怖主义	사이버 테러	[1]
パワー・ハラスメント	power harassment	权力骚扰	힘이나 지위를 이용해 약자를 괴롭히는 일	[2]
現代	modern times	现代	현대	[2]
悩み	trouble, worry	烦恼	고민	[5]
いじめ	bullying	（在学校、公司等中的）欺侮，虐待	괴롭힘	[6]
疑問	question, doubt, query	疑问	의문	[12]

3 S(plain)わけだ

ス1 [15]　ス5 [22]

it means that S ; no wonder, S ; that is what S means
自然就是S这一结果
S 까닭이다 ; S-기 때문이다 ; S 것이다

> S(plain)わけだ expresses the speaker/writer's reasoning such that (s)he finds a causality relation such as cause – effect or reason – consequence between two pieces of information given in the context. The speaker draws one fact as a consequence from the other. Note that when S2 predicate is either N/AN だ, だ becomes な in front of わけだ, such as in "子どもが寝ている。静かなわけだ".
>
> 该句型表示说话人认可上下文中的两个信息之间存在原因 – 结果，理由 – 结论等因果关系，对这一关系进行归结。注意当S的谓语是N/ANだ时，「だ」要变成「な」，如「子どもが寝ている。静かなわけだ」(孩子睡着呢。所以安静)。
>
> 말하는 이가 문맥 속에 나타난 두 정보 사이에 원인과 결과 또는 이유와 귀결과 같은 인과 관계가 있다고 인식하고, 그 관계를 납득했거나 연결한 것을 나타냅니다. S(plain)가 N/AN일 때는 '子どもが寝ている。静かなわけだ。(아이가 자고 있다. 조용하기 때문이다.)'와 같이 'だ'가 'な'로 되는 것에 주의하기 바랍니다.

[例]　a．日本では、電車にかばんを忘れても出てくる。安全なわけだ。　[1]
　　　b．上野さんは病院に行ったそうだ。朝の授業に来なかったわけだ。
　　　c．つまり、山本さんの家は、……お葬式は仏教で行っているわけだ。

第3課 違いを考える●89

[練習1]

1．この本は漢字が少ない。それで、＿＿＿＿＿＿＿＿＿＿＿＿＿＿＿＿＿＿＿わけだ。 [5]

2．この地図(ちず)は古い。だから、＿＿＿＿＿＿＿＿＿＿＿＿＿＿＿＿＿＿＿＿わけだ。

3．＿＿＿＿＿＿＿＿＿＿＿＿＿＿＿＿＿＿＿＿＿＿＿＿＿＿＿＿＿＿＿＿＿＿＿。

[練習2]

1．A：あ、窓(まど)が開(あ)いている。

　　B：だから、さっきから＿＿＿＿＿＿＿＿＿＿＿＿＿＿＿＿＿＿＿わけだ。 [10]

2．A：このごろ、マイさん、どうしてますか。

　　B：国に帰っているそうですよ。

　　A：ああ、だから＿＿＿＿＿＿＿＿＿＿＿＿＿＿＿＿＿＿＿＿わけですね。

3．A：あれ、このパソコン、パクさんのじゃない？

　　B：ええ、あとでここで勉強(べんきょう)するって言ってました。 [15]

　　A：それで、＿＿＿＿＿＿＿＿＿＿＿＿＿＿＿＿＿＿＿＿わけですね。

4　**Nからすると**　　　　　　　　　　　　　　　ス1 [15]　ス5 [22]

judging from N ; on the basis of N
由N这一点来看
N으로 짐작하건대
cf.　Nから考(かんが)えると；Nから見ると

> Nからすると precedes the speaker's judgement, assessment or conjecture of something. N represents the point of reference for the statement that follows. It can be paraphrased with Nから考えると or Nから見ると.
>
> 「Nからすると」后续表示说话人的判断、评价、推测等的句子。N是说话人作为考察基准的参照点，也可以说成「Nから考えると」、「Nから見ると」。
>
> 'Nからすると' 다음에는 말하는 이의 판단이나 평가나 추측을 나타내는 문장이 옵니다. N은 말하는 이의 판단 기준이 되는 참조점을 나타내며, 'Nから考えると'나 'Nから見ると'로 바꿔 쓸 수 있습니다.

[例]　a．前田(まえだ)さんは朝(あさ)から元気がない。あの様子(ようす)からすると、何か心配(しんぱい)なことがありそうだ。 [1]

b．山田さんが元気に笑っている。あの声からすると、何かいいことがあったようだ。

　　c．このようなことからすると、山本さんは一つの宗教を信じているわけではないようだ。 [5]

［練習１］

1．この国の人々の生活からすると、＿＿＿＿＿＿＿＿＿＿＿＿＿＿＿＿と思います。

2．＿＿＿＿＿＿＿＿＿＿＿＿＿＿＿からすると、あの人はずいぶん練習しただろう。

3．＿＿＿＿＿＿＿＿＿＿＿＿＿＿＿＿＿＿＿＿＿＿＿＿＿＿＿＿＿＿＿。 [10]

［練習２］

1．A：あれ、あそこにたくさん人がいますね。どうしたんでしょうか。
　　B：ああ、本当ですね……、あの様子からすると、＿＿＿＿＿＿＿＿のかもしれませんね。
　　A：そうかもしれませんね。 [15]

2．A：あの教室、にぎやかですね。
　　B：あの＿＿＿＿＿＿＿からすると、＿＿＿＿＿＿＿かもしれません。
　　A：そうかもしれませんね。

3．A：ハイコさんからメールが来ましたよ。
　　B：ああ、この＿＿＿＿＿＿からすると、＿＿＿＿＿＿かもしれませんね。 [20]
　　A：そうですね。

● 語彙 ●

| *様子 | appearance | 外观 | 모습 | [1] |
| ずいぶん | considerably | 相当地 | 꽤, 상당히 | [9] |

5 Nにとって

for someone ; to someone
对N来说
N에게 있어서
cf.　Nには

> Nにとって is used to mark whose idea or evaluation is expressed in the remaining part of the sentence. What is expressed in the sentence is held true with a particular person or group of people and may not be generalized. It can be paraphrased by Nには.
>
> 「Nにとって」表示后续句子的内容是N个人的想法或评价等。句子内容是N这一特定个人的想法或评价，因此不能推及其他人。也可以说成「Nには」。
>
> 'N에とって'는 뒤에 오는 내용이 N의 개인적인 생각이나 평가라는 것을 나타냅니다. 문장 전체의 내용은 N으로 나타나는 특정인의 생각이나 평가이므로 일반화할 수 없습니다. 'Nには'로 바꿔 쓸 수 있습니다.

[例]　a．「たんじょうび、おめでとう」だけのメールでも、もらった人にとっては、うれしい。

　　　b．母の料理は、私にとって一番おいしい料理だ。

　　　c．イスラム教徒の私にとって、この行動はなかなか理解できない。

[練習1]

1．私にとって、＿＿＿＿＿＿＿＿＿＿＿＿＿＿＿はなくてはならないものです。

2．人間にとって、水は＿＿＿＿＿＿＿＿＿＿＿＿＿＿＿＿＿＿＿＿＿＿。

3．＿＿＿＿＿＿＿にとって＿＿＿＿＿＿は＿＿＿＿＿＿＿＿＿＿＿。

[練習2]

1．A：子どもにとっていちばん必要なことって何だと思う？
　　B：うーん。やっぱり＿＿＿＿＿＿＿＿＿＿＿＿＿＿＿＿＿だと思う。
　　A：そうだよね。

2．先生：国のリーダーにとっていちばん大事なことは何だと思いますか。
　　学生：そうですね。やっぱり＿＿＿＿＿＿＿＿＿＿＿＿＿だと思います。
　　先生：そうですか。

3．A：Bさんの国にとって、一番大切なことは何ですか。
　　B：そうですね。＿＿＿＿＿＿＿＿＿＿＿＿＿＿＿＿＿＿＿だと思います。

● 語彙 ●

* 人間(にんげん)	human beings	人，人类	인간	[7]
** 必要(な)(ひつよう)	necessary	必要(的)	필요(한)	[10]
リーダー	leader	领导	리더	[13]
やっぱり	as expected	不出所料	역시	[14]

6 Nといったところだ   ス1 [16]　ス5 [31]

what can be put as N ; which can be summarized/generalized as N
可以说是N
N(이)라고 해도 좋다/무방하다
cf. Nと言ってもいい

> This pattern is used to summarize or paraphrase what has been said in a general expression represented by N such as "彼がすきなのはすしやてんぷらだ。代表的な日本料理といったところだ". Note that the same pattern can also be used for exemplification such as 代表的な日本料理と言えば、すしや天ぷらといったところだ 'Speaking of representative Japanese food, we have Sushi and Tempura'. In this lesson we study the usage for summarization.
>
> 这个句型用于表示改用N来表达或归纳说话人所说的内容。例如「彼がすきなのはすしやてんぷらだ。代表的な日本料理といったところだ」(他喜欢的是寿司和天妇罗等。可以说是具有代表性的日本料理)。这个句型也可以用于示例，例如「代表的な日本料理といえば、すしや天ぷらといったところだ」(说到具有代表性的日本料理，可以说出寿司和天妇罗等)。不过本课学习的是归纳的用法。
>
> 말하는 이가 말한 것을 N이라고 단적으로 바꿔 말하거나 요약할 때 사용합니다. 예를들어 '彼がすきなのはすしやてんぷらだ。代表的な日本料理といったところだ(그 사람이 좋아하는 것은 초밥과 튀김이다. 대표적인 일본 요리라 해도 무방하다.)' 등이 그 예입니다. 하지만 동일한 표현을 '代表的な日本料理といえば、すしや天ぷらといったところだ(대표적인 일본 요리라고 하면 초밥과 튀김이라고 해도 무방하다)'와 같이 예시할 때도 사용합니다. 이 과에서는 요약의 용법을 배웁니다.

[例]　a．外国人が初めて食べる日本料理はすしや天ぷらだ。それは、代表的な日本　[1]
　　　　料理といったところだ。

　　　b．花子さんはいつも明るくて元気だ。クラスの太陽といったところだ。

　　　c．「神様なら何でもいい」といったところだ。

[練習１]

1. すもうや歌舞伎などは日本の＿＿＿＿＿＿＿＿＿＿＿＿＿＿＿＿＿といったところだ。

2. ＿＿＿＿＿＿＿＿＿＿＿＿＿というのは、典型的な日本人といったところだろう。

3. ＿＿＿＿＿＿＿＿＿＿＿＿＿＿＿＿＿＿＿＿＿＿＿＿＿＿＿＿＿＿＿＿＿。

[練習２]

1. A：国際交流サークルに入ったそうですね。
   B：ええ。留学生＿＿＿＿＿＿＿＿＿＿＿＿＿＿＿＿＿＿＿＿＿＿＿。
   A：じゃあ、小さな国連といったところですね。

2. A：日本の旅館に泊まったそうですね。
   B：ええ、朝は、ごはんとみそ汁とさかなを食べました。
   A：ああ、それは、＿＿＿＿＿＿＿＿＿＿＿＿＿＿といったところですね。

3. A：アルバイトを始めたんですね。
   B：ええ、＿＿＿＿＿＿＿＿＿＿＿＿＿＿＿＿＿＿＿＿＿＿＿んです。
   A：ああ、それは日本社会の勉強といったところですね。

● 語彙 ●

代表的（な）	representative	代表性的	대표적(인)	[✎]
太陽	the sun	太阳	태양	[3]
典型的（な）	typical	典型(的)	전형적(인)	[7]
国連	the United Nations	联合国	UN	[12]
旅館	Japanese inn	（日式）旅馆	(일본식) 여관	[13]

7 **S(plain)ような気がする**　　　　　　　　ス１ [17]　ス５ [7]

　I feel as if S : I have a hunch that S
　我感到S
　S 것 같은 기분이 들다
　　cf.　S(plain)ような音・におい・感じがする

Nがする means that the speaker senses what is meant by N, where N is a stimulus appealing to the speaker's senses. 気がする means the speaker has a hunch. Examples are 部屋の外にだれかいるような気がする 'I have a hunch that someone is outside the room' or いいことがありそうな気がする 'I feel as if something nice is going to happen'. For N, you can have 音 'sound', におい 'smell', 感じ 'feeling', can be used as well. For example, 音がする means the speaker can hear some sound. Sような specifies that that sense is like.

「Nがする」表示诉诸说话人感官的感觉。「気がする」是「感じられる」(感到，觉得)的意思。例如「部屋の外にだれかいるような気がする」(我感觉好像有什么人在屋子外面)、「いいことがありそうな気がする」(我感觉好像会有好事发生)等。N除了「気」以外，还有「音」「におい」「感じ」等。例如「音がする」表示说话人听到了某个声音。「ような」用于将该具体感觉与某个感觉种类相连接。

'Nがする'는 말하는 이의 오감에 호소하는 감각을 나타냅니다. '気がする(기분이 들다)'는 '感じられる(느껴지다)'라는 뜻이 됩니다. 예로는 '部屋の外にだれかいるような気がする(방 밖에 누가 있는 듯한 기분이 든다)', 'いいことがありそうな気がする(좋은 일이 있을 것 같은 기분이 든다)' 등이 있습니다. N에는 기분 외에도 소리, 냄새, 느낌 등이 올 수 있습니다. 예를 들어 '音がする(소리가 나다)'는 말하는 이에게 무슨 소리가 들리는 것을 의미합니다. 'ような'는 그 감각이 어떤 종류의 것인지를 표현합니다.

[例]　a．この料理なら、私でも作れる**ような気が**します。　　　　　　　　　　[1]

　　　b．留学で、世界の人と友だちになれた**ような気が**します。

　　　c．行動が矛盾している**ような気がする**が、……。

[練習1]

1．きょうは、何か＿＿＿＿＿＿＿＿＿＿＿＿＿＿＿ような気がして、楽しみだ。[5]

2．母が＿＿＿＿＿＿＿＿＿＿＿＿＿＿＿ような気がするので、電話してみます。

3．＿＿＿＿＿＿＿＿＿＿＿＿＿＿＿＿＿＿＿＿＿＿＿＿＿＿＿＿＿＿＿＿＿。

[練習2]

1．A：日本の生活はどうですか。

　　B：そうですね。＿＿＿＿＿＿＿＿＿＿＿＿＿＿＿ような気がします。[10]

2．A：日本の大学生はどうですか。

　　B：そうですね。＿＿＿＿＿＿＿＿＿＿＿＿＿＿＿ような気がします。

3．A：試験、どうだった？

　　B：うーん。＿＿＿＿＿＿＿＿＿＿＿＿＿＿＿ような気がするけど……。

　　A：だいじょうぶだよ。　　　　　　　　　　　　　　　　　　　　　　[15]

第3課 違いを考える●95

8 Nとして   ス1 [22]　ス5 [24]

in the capacity of N；with the qualification of N；as N
作为N
N(으)로서

[例]　a．ワンさんは留学生の代表としてテレビに出た。　　　　　　　　　　　　　[1]

　　　b．クリスさんは英語の先生として日本に来た。

　　　c．日本の生活を経験している学生として、ぜひ答えを見つけたいと思う。

[練習1]

1．私は、＿＿＿＿＿＿＿＿＿＿＿＿＿＿＿＿＿＿＿＿＿＿＿として日本に来た。　[5]

2．私は、先輩としてではなく友だちとして彼に＿＿＿＿＿＿＿＿＿＿＿＿。

3．＿＿＿＿＿＿＿＿＿＿＿＿＿＿＿＿＿＿＿＿＿＿＿＿＿＿＿＿＿＿＿＿＿。

[練習2]

1．学生：先生、キムさんがまた日本に来るそうですね。

　　先生：そうですよ。今度は＿＿＿＿＿＿＿＿＿＿＿として来るそうです。　[10]

　　学生：そうですか。

2．A：Bさん、サークルの代表として＿＿＿＿＿＿＿＿＿＿＿＿＿＿＿＿。

　　B：ええ？　私がですか。

　　A：はい、お願いします。

3．A：Bさん。Cさんが＿＿＿＿＿＿として、＿＿＿＿＿＿そうですよ。　[15]

　　B：そうですか。

9 S(plain past)とする   ス5 [15, 18]

suppose S were the case
假设S
S-(했다)고 하다
cf.　V-るとする

> S(plain past)とする provides the following statement with a certain condition which is contrary to reality. It presents a premise of the speaker's statement that follows. A similar pattern V-るとする also means a condition, but it has no counter factual implication.
>
> 「S(plain past)とする」用于提示与事实相异的状况，叙述在这一反事实的条件下成立的情况，表示说话人发言的前提。类似的表达还有「V-るとする」，但这个句型单纯地提示条件，没有这个

条件与现实相反的意思。

'S(plain past)とする'는 사실과 다른 상황을 제시하고 그 조건하에서 뭔가를 말하는 경우에 사용합니다. 말하는 이의 발언의 전제를 나타냅니다. 유사 표현으로 'V-るとする'가 있는데, 이것은 단순 조건으로, 현실과의 차이는 의미하지 않습니다.

[例] a. 今、あなたが自分の国の大統領だったとしたら、何をしたいですか。
　　 b. この文章を外国人が書いたとしたら、すごい！
　　 c. 家にいるときに私宛に電話がかかってきたとします。

[練習1]

1. 私が日本人だったとしたら、＿＿＿＿＿＿＿＿＿＿＿＿＿＿＿＿＿＿＿。

2. ＿＿＿＿＿＿＿＿＿＿＿＿＿＿＿＿＿たとする。そうすると、日本語はもっとやさしくなるだろう。

3. ＿＿＿＿＿＿＿＿＿＿＿＿＿＿＿＿＿＿＿＿＿＿＿＿＿＿＿＿＿＿＿。

[練習2]

1. A：一人で無人島に行くことになったとしたら、何を持っていきますか。
　　 B：そうですね。＿＿＿＿＿＿＿＿＿＿＿＿＿＿＿＿＿＿＿でしょうか。
　　 A：そうですか。

2. A：＿＿＿＿＿＿＿＿＿＿＿＿＿＿＿＿＿たとしたら、どこに行きたいですか。
　　 B：そうですね。＿＿＿＿＿＿＿＿＿＿＿＿＿＿＿＿＿＿＿でしょうか。
　　 A：そうですか。どうしてですか。

3. A：＿＿＿＿＿＿＿＿＿＿＿＿＿＿＿＿＿たとしたら、まず何をしたいですか。
　　 B：そうですね、まず＿＿＿＿＿＿＿＿＿＿＿＿＿＿＿＿＿＿＿＿＿＿＿。
　　 A：そうですか。

● 語彙 ●

| 文章 | essay, text | 文章 | 문장 |
| 無人島 | uninhabited island | 无人岛 | 무인도 |

10 S1(predicate たら-form), S2(plain past)だろう

if S1 had been the case, S2 would have happened
假如S1，那会是S2
S1(했더라면), S2(했을) 것이다

> This pattern means a counterfactual condition and its consequence, where the speaker supposes a condition which did not happen, and infers from that what might have been the case. Note that both sentences have a predicate in TA-form.
>
> 这是一个表示反事实假设的句型，说话人假设出某个实际未发生或不成立的情况，以此为条件进行推论。注意S1和S2两个句子的谓语都须用夕形。
>
> 사실에 반하는 가정을 나타내는 문형으로, 말하는 이가 실제로 일어나지 않은 일을 가정하여 그 조건하에서 추론한 것을 제시합니다. 두 문장 모두 술어가 夕형인 것에 주의하기 바랍니다.

[例]　a．家族のサポートがなかったら、留学できなかっただろう。
　　　b．インターネットがなかったら、データを調べるのにもっと時間がかかっただろう。
　　　c．昔だったらハッキリと断っていたでしょう。

[練習1]
1．きのうは忙しかったけど、ひまだったら＿＿＿＿＿＿＿＿＿＿＿＿だろう。
2．＿＿＿＿＿＿＿＿＿＿＿＿＿＿＿＿＿＿＿たら、この仕事はやめていただろう。
3．＿＿＿＿＿＿＿＿＿＿＿＿＿＿＿＿＿＿＿＿＿＿＿＿＿＿＿＿。

[練習2]
1．先生：大学院に合格したんですね。おめでとうございます。
　　学生：ありがとうございます。先生＿＿＿＿＿＿＿＿＿＿＿＿たら、合格しなかったでしょう。
　　先生：そうですか。よかったですね。

2．A：シンポジウムの成功、おめでとうございます。
　　B：ありがとうございます。大変でしたが、メンバーがよかったです。＿＿＿＿＿＿＿＿＿＿＿＿＿＿たら、成功しなかったでしょう。
　　A：そうですか。本当におめでとうございました。

3. A：日本で就職が決まってよかったですね。
   B：ええ。あのとき、＿＿＿＿＿＿＿＿＿＿＿＿＿＿＿＿＿＿＿＿＿＿たら、
   ＿＿＿＿＿＿＿＿＿＿＿＿＿＿＿＿＿だろうと思います。 [20]
   A：そうですか。

● 語彙 ●

サポート（する）	support (to support)	支持	지원(하다)	[1]
合格（する）	passing an exam (to pass an exam)	通过考试，及格	합격(하다)	[10]
シンポジウム	symposium	研讨会	심포지엄	[14]
成功（する）	success (to succeed)	成功	성공(하다)	[14]
就職（する）	finding employment (to find a job)	就业，找到工作	취직(하다)	[18]

接続表現 ①〜③

① むしろ
Rather
宁可/毋宁
오히려

ス1 [16]

[例] a．ここは、昼間より、むしろ夜のほうが人が多い。 [1]
　　 b．山本さんにとって宗教は一つと言えないようだ。むしろ、神様なら何でもいいといったところだ。

● 語彙 ●

昼間	in the daytime	白天	주간	[1]

② **S1。ただ(し)、S2。**   ス5 [12]

S1, provided that S2 ; S1. But S2
S1，只是S2
S1. 단, S2

[例]　a．この店は、午前10時から午後6時までです。ただし、週末は午前11時から　[1]
です。

　　　b．このバスは、一人200円です。ただし、子どもは100円です。

③ **あるいは**   ス5 [19]

or
或者
혹은
cf.　AまたはB

[例]　a．ここは、6歳未満の子ども、あるいは、65歳以上の方は入場無料です。　[1]

　　　b．この会への登録は、ファックスで、あるいはメールでお願いします。

● 語彙 ●

－未満	under ～	未满～	～미만	[1]
－以上	over ～	～以上	～이상	[1]
入場無料	admission free	免费进场	무료 입장	[1]
登録(する)	registration (to register)	登记	등록(하다)	[2]

便利な表現①

① なかなか〜できない　　　　　　　　　　　　　　　　　　　　　　　ス1 [17]　ス5 [11]
cannot easily do something
很难轻易做到
좀처럼 ~할 수 없다

［例］　a．きのうは、なかなか眠れなかった。　　　　　　　　　　　　　　　　　[1]
　　　　b．イスラム教徒の私にとって、なかなか理解できない。

ステップ❸ 聞こう
「何か宗教を信じていますか」
　　なに　しゅうきょう　しん

タスク

テレビの情報番組を見ています。
　　　　じょうほうばんぐみ

[1] 何について話していますか。よく聞いて、質問に答えましょう。
　　　　　　　　　　　　　　　　　　しつもん　こた
　①日本人は宗教を信じている人と信じていない人でどちらが多いですか。
　　　　しゅうきょう　しん　　　　　　　　　　　　　　　　　　おお
　②日本人はどのような宗教的なことをしていますか。
　　　　　　　　　　　　てき
　③ミルズさんはどのような意見を持っていますか。
　　　　　　　　　　　　　いけん　も
　④アチャラさんはどうですか。
　⑤佐藤さんの意見はどうですか。
　　さとう

[2] 1）から12）の＿＿＿＿に言葉を書きましょう。
　　　　　　　　　　　　ことば

☞「聞き取り」の答え[239頁]

[3] a）～f）の〜〜〜の表現は、どのようなときに使うと便利だと思いますか。
　　　　　　　　ひょうげん　　　　　　　　　　　　つか　　べんり

　a）では　　　　　　　b）つまり　　　　　　c）いかがですか
　d）やっぱり　　　　　e）確かに　　　　　　f）そうかもしれませんね
　　　　　　　　　　　　　たし

聞き取り

司会：a) では、次の話題です。このグラフをご覧ください。これは、読売新聞が 2008年に日本人の宗教1)＿＿＿＿＿＿＿＿＿考え方について調査をした結果です。これによると、「宗教を信じている」という人は約26％ぐらいなんですが、「宗教を信じていない」人が72％もいます。それで、「宗教に関することでどんなことをしているか」という質問では、「お墓参りに行く」人が約78％、「初詣に行く」人が約73％いました。b) つまり、宗教を2)＿＿＿＿＿＿＿＿＿、宗教的なことをしているんですね。コメンテーターの佐藤さん、この結果について、c) いかがですか。

佐藤：ああ、そうですね、墓参りと初詣……、つまり仏教と神道、両方のことを3)＿＿＿＿＿＿＿＿＿よね。でも、宗教を信じてるからっていう気持ちでもない。それに、ほら、クリスマスも4)＿＿＿＿＿＿＿＿＿楽しいイベントですしね。まあ、それが一般的な5)＿＿＿＿＿＿＿＿＿でしょうかね。

司会：じゃあ、ミルズさん、6)＿＿＿＿＿＿＿＿＿、いかがですか。

ミルズ：うーん、そういうことはd) やっぱり不思議ですよね。私の妻は日本人でクリスチャンじゃないですけど、結婚式は教会がいいって言いました。でも、お墓参りも初詣も行きますよ。7)＿＿＿＿＿＿＿＿＿、きっと理解できなかったでしょう。今は日本人にとってこういうことは宗教とはあまり関係なくて、文化や習慣だと8)＿＿＿＿＿＿＿＿＿けど。

司会：ああ、e) 確かに、私も9)＿＿＿＿＿＿＿＿＿、そう思うかもしれませんね。えっと、アチャラさんは、タイの方ですよね。いかがですか。

アチャラ：そうですね、タイは仏教の国です。お寺には行きますが、教会や神社には行きません。でも、自分の国と同じだと考えていると10)＿＿＿＿＿＿＿＿＿ような気がします。日本人は山にも川にも何にでも神様がいると思っているわけでしょう。11)＿＿＿＿＿＿＿＿＿、自然を大切にして、神様も大事にする日本は平和でいいと思います。

佐藤：そうなんですよ。はっきりと一つだけの宗教を強く12)＿＿＿＿＿＿＿＿＿んですけど、どの神様も大事にしようっていう気持ちはみんな持っているんだ

と思います。

司会：ああ、f) そうかもしれませんね。それが日本人なんでしょうかね。みなさん、ご意見をありがとうございました。

[30]

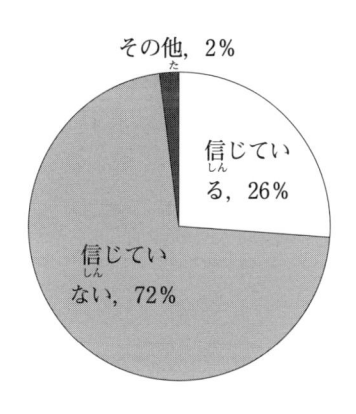

その他，2％
信じている，26％
信じていない，72％

グラフ1　あなたは何か宗教を信じていますか

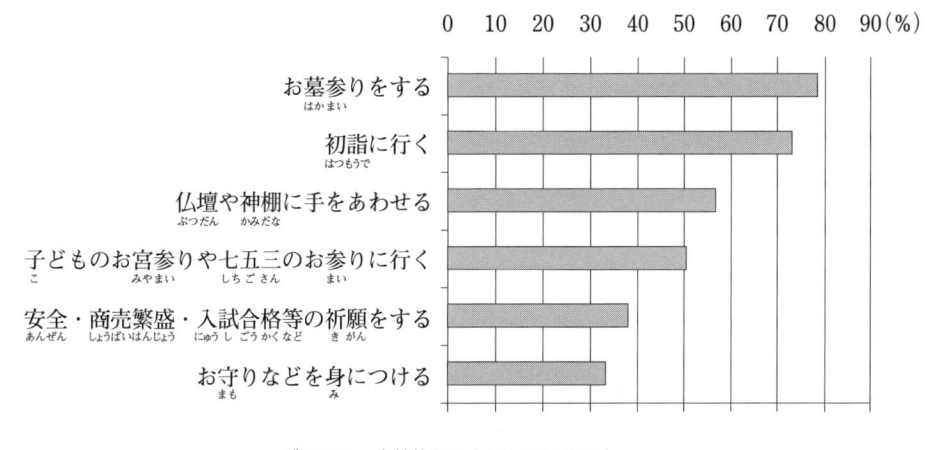

お墓参りをする
初詣に行く
仏壇や神棚に手をあわせる
子どものお宮参りや七五三のお参りに行く
安全・商売繁盛・入試合格等の祈願をする
お守りなどを身につける

グラフ2　宗教的なことでしていること

「年間連続調査・日本人⑥　宗教観」　2008年5月30日付読売新聞（朝刊）1、25面をもとに作成

調査日：2008年5月17、18日　対象者：全国の有権者3,000人（有効回答61.2％）　調査方法：面接方式

● 語彙 ●

*情報番組 じょうほうばんぐみ	news and information program	新闻节目	정보 프로그램	[タスク]
話題 わだい	topic	话题	화제	[1]
読売新聞 よみうりしんぶん	the Yomiuri newspaper	读卖新闻	요미우리 신문	[1]
*調査(する) ちょうさ	survey, inquiry (to survey, inquire)	调查	조사(하다)	[2]
*信じる しん	to believe	相信	믿다	[3]
約- やく	about ～, approximately ～	约～	약 ～, 한 ～	[3]
墓参り はかまい	visiting a graveyard	扫墓	성묘	[5]
**両方 りょうほう	both	(两个)都	양쪽, 둘다	[9]
一般的(な) いっぱんてき	general, common	一般的	일반적(인)	[12]
**妻 つま	wife	妻子	아내	[14]
**関係(する) かんけい	relation (to relate to)	关系, 与～有关系	관계(하다/되다)	[17]
**文化 ぶんか	culture	文化	문화	[18]
*平和 へいわ	peace	和平	평화	[25]
**意見 いけん	opinion	意见	의견	[30]
その他 た	other	其他	기타, 그 외	[グ1]
神棚 かみだな	household Shinto altar	日本家庭内的祭坛	일본에서 집 안에 신위를 모셔 두고 제사 지내는 선반	[グ2]
手をあわせる て	to join one's hands in prayer	双手合十	손을 모으다	[グ2]
七五三 しちごさん	the festival for children aged seven, five and three	七五三节 (庆祝孩子成长的节日)	일본에서 3세, 5세, 7세에 어린이의 성장을 축하하여 신사에 가서 참배를 하는 일	[グ2]
お参り(する) まい	shrine/temple visit (to visit a shrine/temple)	参拜 (神社或寺庙)	참배(하다)	[グ2]
**安全(な) あんぜん	safe	安全(的)	안전(한)	[グ2]
商売繁盛 しょうばいはんじょう	business prosperity	生意兴隆	사업 번창	[グ2]

*入試 にゅうし	entrance exam	入学考试	입시	[グ2]
祈願(する) きがん	prayer (to pray)	祈祷	기원(하다)	[グ2]
お守り まも	good-luck charm, talisman	护身符	부적	[グ2]
身につける み	to wear, put on	佩戴	몸에 지니다	[グ2]
**年間 ねんかん	annual	一年，全年	연간	[31]
連続調査 れんぞくちょうさ	continuous survey	连续调查	연속 조사	[31]
－付 づけ	(something) dated of ～	(表示日期)	～부	[31]
朝刊 ちょうかん	morning edition	晨报	조간	[31]
－面 めん	page	～版面	～면	[31]
作成(する) さくせい	creation (to create)	制作	작성(하다)	[31]
対象者 たいしょうしゃ	subjects (of an survey)	(调查)对象	대상자	[32]
*全国 ぜんこく	nation wide	全国	전국	[32]
有権者 ゆうけんしゃ	voter, electorate	有选举权的人	유권자	[32]
有効(な) ゆうこう	valid	有效(的)	(유효)한	[32]
回答(する) かいとう	answer (to answer)	回答	대답(하다)	[32]
方式 ほうしき	method	方式	방식	[32]

ステップ❹ 話そう・書こう

「大学1年生の生活実態」
「大学のサークル活動」

目標 ■データを使って話せるようになる・意見が言えるようになる

会話 1

大学1年生の生活実態調査の結果（データ1, データ2）について、大学の国際交流サークル「いちGO！会」のメンバーが話しています。＿＿＿のところに気をつけて聞きましょう。そして、a～fについて考えましょう。

☞「会話」のインフォーマル・スタイル例 [242頁]

川本春乃：先輩、こんなデータがあったんですけど。

> a. 話を始める
> Open the conversation
> 开始发言
> 이야기를 시작한다

[1]

木村　博：なになに？

川本：大学1年生の実態調査で、大学生活で大事なことは何かっていう質問に4分の1の学生が「なんでもほどほどに」って答えているんですよ。

> b. 話したいことを伝える
> Initiate conversation by introducing a topic
> 告诉别人自己想说的话
> 말하고 싶은 것을 전한다

[5]

木村：へえ、そうなんだ。

川本：そうなんです。「勉強第一」は2番目で20％くらいです。

> c. 具体的に説明する
> Explain in concrete terms
> 具体说明
> 구체적으로 설명한다

木村：ふうん。

川本：そして、「サークル第一」が15.9%で、「豊かな人間関係」が15.5%なんです。 [10]

> d. コメントする
> Respond with a comment
> 评论
> 코멘트를 한다

木村：ということは、「勉強もサークルもほどほどに」したいと思っている人が多いんだね。

> e. さらに具体的に説明する
> Provide further details
> 进一步具体说明
> 더욱 구체적으로 설명한다

川本：そうですね。でも、サークルに入っている人は70%以上です。 [15]

木村：そうか。サークルに入って友だちを作りたいということなんだね。

> f. まとめて、話を終わらせる
> Sum up and close the conversation
> 总结并结束发言
> 정리하고 이야기를 끝낸다

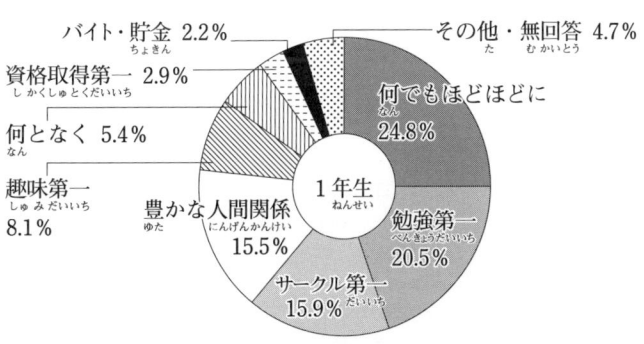

川本：そうですね、きっと。

データ1　大学生活で大事なこと（1年生）
- 何でもほどほどに 24.8%
- 勉強第一 20.5%
- サークル第一 15.9%
- 豊かな人間関係 15.5%
- 趣味第一 8.1%
- 何となく 5.4%
- 資格取得第一 2.9%
- バイト・貯金 2.2%
- その他・無回答 4.7%

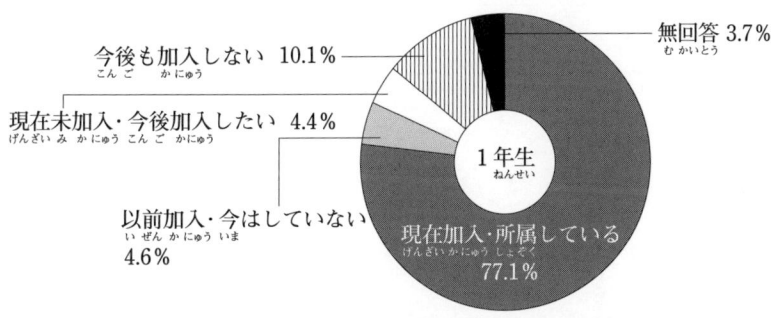

データ2　サークルへの加入（1年生）
- 現在加入・所属している 77.1%
- 今後も加入しない 10.1%
- 以前加入・今はしていない 4.6%
- 現在未加入・今後加入したい 4.4%
- 無回答 3.7%

データ１～２と次のデータ３～５：全国大学生活協同組合連合会（全国大学生協連）
「大学生活のスタート　大学生活ガイドブック2012　先輩からのアドバイス」
(http://www.univcoop.or.jp/fresh/guide/advice.html)

● 語彙 ●

実態	actual conditions	实际情形	실태	[1]
4分の1	one-fourth	四分之一	4분의 1	[4]
ほどほど	moderate	适度的，恰当的	정도껏	[5]
—第一	giving priority to ～	～第一，最重视～	～제일의	[7]
—番目	the ～th (ordinal number)	第～	～번째	[7]
豊か(な)	rich	丰富(的)	풍부(한)	[10]
何となく	somehow, in some way	(不知为什么)总觉得	그냥, 왠지	[デ1]
資格	qualification	资格	자격	[デ1]
取得(する)	obtaining (to obtain)	取得	취득(하다)	[デ1]
バイト	アルバイト, part-time job	零工	아르바이트	[デ1]
貯金(する)	saving money (to save money)	储蓄	저금(하다)	[デ1]
無回答	no answer	不回答	무응답	[デ1]
現在	current	现在	현재	[デ2]
加入(する)	joining an association (to become a member of)	加入	가입(하다)	[デ2]
所属(する)	affiliation (to belong to ～)	从属于	소속(하다/되다)	[デ2]
未—	un～	未～	미～	[デ2]

会話2

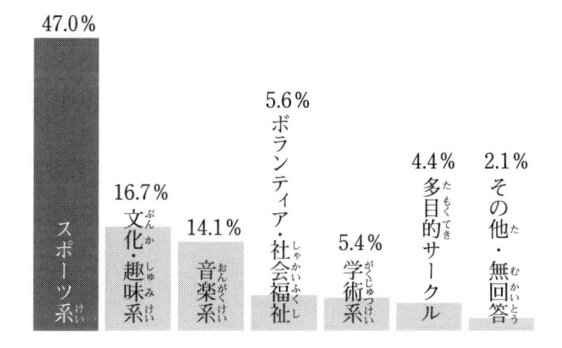

大学のサークル活動について、次のデータ3、4を使って会話1のように話しましょう。

データ3 サークルの活動内容
- スポーツ系 47.0%
- 文化・趣味系 16.7%
- 音楽系 14.1%
- ボランティア・社会福祉 5.6%
- 学術系 5.4%
- 多目的サークル 4.4%
- その他・無回答 2.1%

データ4 サークルに求めていること・加入理由
- 1位：友だちができる……50.1%
- 2位：活動内容が好き……35.0%
- 3位：先輩・後輩……13.0%
- 4位：趣味を深める……9.8%
- 5位：自分を鍛える……9.3%

● 語彙 ●

内容	content	内容	내용	[デ3]
－系	~ oriented	～系統	～계열	[デ3]
社会福祉	social welfare	社会福利	사회복지	[デ3]
学術	academic	学术	학술	[デ3]
多目的	multipurpose	多重目的	다목적	[デ3]
求める	to seek	寻求	구하다, 요구하다	[デ4]
深める	to deepen	加深	깊게 하다	[デ4]
鍛える	to train	锻炼	단련하다	[デ4]

会話1の参考

会話1の内容を、一人でまとめて話すと次のようになります。スピーチをするときの参考にしましょう。

川本：きょうは大学1年生の実態について、お話しします。2012年の調査によると、[1]
「大学生活で大事なことは何か」という質問に、4分の1の学生が「何でもほどほどに」と答えています。次に多いのは、「勉強第一」で20％ぐらいです。
「サークル第一」と「豊かな人間関係」がそれぞれ16％ぐらいです。
このことから、大学生は勉強もサークルもほどほどにしたいと思っている人が [5]
多いことが分かります。しかし、サークルに入っている人は70％以上いるため、多くの1年生がサークルに入って友だちを作りたいようです。

● 語彙 ●

| 参考
さんこう | reference | 参考 | 참고 | [1] |

第3課 違いを考える●111

ロールプレイ

AかBになって話しましょう。

カードA

あなたは、下のデータ（データ5）を見つけました。これについて、Bさんと話してください。

You have found the data below (Data 5). Discuss it with B.

你发现了下面的数据（数据5）。请就这一数据，与B同学说一说。

당신은 아래 데이터(데이터 5)를 찾았습니다. 이것에 대해 B 씨와 이야기해 보세요.

カードB

Aさんの話を聞いて、あなたの意見を言ってください。

Listen to what A has to say and state your own thoughts.

听完A同学的话后，请说一下你的看法。

A 씨의 이야기를 듣고 당신의 의견을 말해 보세요.

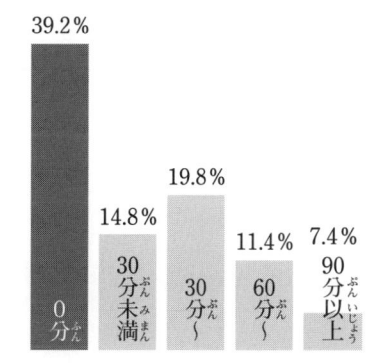

	0分	30分未満	30分〜	60分〜	90分以上
	39.2%	14.8%	19.8%	11.4%	7.4%

データ5　大学1年生の1日の平均読書時間（へいきんどくしょ）

● 語彙 ●

平均（へいきん）	average	平均	평균	［デ5］
読書（する）（どくしょ）	reading books (to read books)	阅读书籍	독서(하다)	［デ5］

スピーチ

「大学1年生の生活実態」「大学のサークル活動」「大学1年生の1日の平均読書時間」(会話やロールプレイで話したこと)について、スピーチにしましょう。

　　　[ポイント1]　何について話すか。

　　　[ポイント2]　どのようなデータがあるか。

　　　[ポイント3]　データから分かることは何か。

作文

この課で勉強した文法と語彙を使って、スピーチの内容を「だ・である体」で書きましょう。タイトルも考えましょう。字数は400～600字です。

ステップ❺ 挑戦しよう
「日本人になりたかった私」

予習シート

読む前に

[1] あなたはほかの国の人になりたかったと思ったことがありますか。

[2] それはどうしてですか。

読みながら

[1] この人は、32年間日本で生活して、生き方が変わったと書いてあります。実際にどのように変わりましたか。

[2] [1] の例として、電話について書いてあります。前と今とでどう違いますか。

[3] [1] の例として、宗教について書いてあります。前と今とでどう違いますか。

[4] [3] の例は、フィンランド人や宣教師には受け入れられますか。

[5] どうしてこの人は [3] のように変わったのですか。

読んだ後で

[1] あなたは、日本やほかの国・場所に住んで、変わったことがありますか。あるなら、どのように変わりましたか。

[2] これを書いたのは、ツルネン・マルテイさん（1940年フィンランド生まれ。1967年宣教師として来日、1979年日本に帰化。政治家）です。どのような人か、もっと調べてみましょう。

本文

フリガナなし

日本人になりたかった私 [1]

　32年間の間に日本が私をどのように変えたかということですが、一つは生き方の点です。「あいまいな日本人」に対して「あからさまなフィンランド人」と言えると思います。以前、私にはどちらかと言えば率直にものを言う、たとえ相手に対するいやな気持ちであってもそのままぶつけるフィンランド人気質がありました。しかし、長[5]く日本に住んでいるとそうはいかなくなってくるんですね。少しずつ変化して、日本人のあいまいさが私にもかなり身についてきたような気がします。日本には「嘘も方便」という言葉があります。最初この言葉には本当に抵抗がありました。クリスチャンの中にも嘘を言う人がいますが、キリスト教では嘘は罪ですからそれは悪いことです。しかし、日本には人間関係がスムーズにいくためには、嘘も必要という考え方が[10]あるんですね。これは私にとってなかなかなじめない考え方でした。でも、今はやむを得ない場合はあると思うようになりました。ただし、親しい友人関係、夫婦間、子どもたちに対する嘘はいけないと思っています。（中略）

　私が時として嘘を言うのは例えばこんな場合です。家にいるときに私宛に電話がかかってきたとします。私は、普段は電話に出ません。妻が家にいるときは彼女が出ま[15]す。こういう仕事をしていると色々といやな電話もたくさん入ってきますし、長電話の好きな人もいます。そういう人から、どうしても私と話したいという電話がかかってきたとします。すると妻は「申し訳ありませんが、主人は、今、家におりません」と嘘を言います。本当は傍らにいるんですけどね。あるいは、パーティやイベントにどうしても参加して欲しいという依頼があったけれども行きたくない場合……おそら[20]く昔だったらハッキリと断っていたでしょうが、今はそうしません。行けない何か別の理由を言うわけです。このようなことからすると、私も「あいまいな日本人」になったなあと思います。

　宗教についてもそうです。日本に来たときはキリスト教の宣教師として派遣されて

来たのですから、自分の宗教が私にとって一番良い宗教だと思っていました。しかし、今はそういう気持ちをオモテに出さないで、全ての人とつきあうようにしています。初詣にも出かけますし、同じ日に教会へも行きます。仏教の葬式にも行って、お線香もあげます。これはフィンランド人に話すと、とんでもないことです。まして宣教師にはありえないことです。でも、日本人の生活の中に色々な形で宗教が入っていますから、そういうことに抵抗はありません。（中略）これも日本に長く住んでいるゆえの「日本人的知恵」といったところでしょうか。

（ツルネン・マルテイ『大丈夫！――洋魂和才の生きる知恵』いしずえ、2001年）

● フリガナつき

日本人になりたかった私

　32年間の間に日本が私をどのように変えたかということですが、一つは生き方の点です。「あいまいな日本人」に対して「あからさまなフィンランド人」と言えると思います。以前、私にはどちらかと言えば率直にものを言う、たとえ相手に対するいやな気持ちであってもそのままぶつけるフィンランド人気質がありました。しかし、長く日本に住んでいるとそうはいかなくなってくるんですね。少しずつ変化して、日本人のあいまいさが私にもかなり身についてきたような気がします。日本には「嘘も方便」という言葉があります。最初この言葉には本当に抵抗がありました。クリスチャンの中にも嘘を言う人がいますが、キリスト教では嘘は罪ですからそれは悪いことです。しかし、日本には人間関係がスムーズにいくためには、嘘も必要という考え方があるんですね。これは私にとってなかなかなじめない考え方でした。でも、今はやむを得ない場合はあると思うようになりました。ただし、親しい友人関係、夫婦間、子どもたちに対する嘘はいけないと思っています。（中略）

　私が時として嘘を言うのは例えばこんな場合です。家にいるときに私宛に電話がかかってきたとします。私は、普段は電話に出ません。妻が家にいるときは彼女が出ます。こういう仕事をしていると色々といやな電話もたくさん入ってきますし、長電話の好きな人もいます。そういう人から、どうしても私と話したいという電話がかかってきたとします。すると妻は「申し訳ありませんが、主人は、今、家におりません」

と嘘を言います。本当は傍らにいるんですけどね。あるいは、パーティやイベントにどうしても参加して欲しいという依頼があったけれども行きたくない場合……おそらく昔だったらハッキリと断っていたでしょうが、今はそうしません。行けない何か別の理由を言うわけです。このようなことからすると、私も「あいまいな日本人」になったなあと思います。

宗教についてもそうです。日本に来たときはキリスト教の宣教師として派遣されて来たのですから、自分の宗教が私にとって一番良い宗教だと思っていました。しかし、今はそういう気持ちをオモテに出さないで、全ての人とつきあうようにしています。初詣にも出かけますし、同じ日に教会へも行きます。仏教の葬式にも行って、お線香もあげます。これはフィンランド人に話すと、とんでもないことです。まして宣教師にはありえないことです。でも、日本人の生活の中に色々な形で宗教が入っていますから、そういうことに抵抗はありません。（中略）これも日本に長く住んでいるゆえの「日本人的知恵」といったところでしょうか。

(ツルネン・マルテイ『大丈夫！――洋魂和才の生きる知恵』いしずえ、2001年)

●語彙●

**生きる	to live, exist, last	生存	살다, 생존하다	[2]
*あいまい(な)	ambiguous, obscure, vague	暧昧(的)	애매(한)	[3]
あからさま(な)	frank, open, downright, plain	坦率(的)	분명(한), 명백(한)	[3]
どちらかと言えば	rather, if anything, kind of	整体上, 总的来说	어느 쪽이냐면	[4]
率直(な)	frank, candid, outspoken open	直率(的)	솔직(한)	[4]
ぶつける	to let go, take out something on someone	投中, 打中	부딪치다	[5]
気質	disposition, temperament, temper, character	脾气, 秉性	기질	[5]
*変化(する)	change (to change)	变化	변화(하다)	[6]
身につく	to learn, acquire, develop	习得, 学会	몸에 익히다	[7]
嘘も方便	white lie	出于无奈而撒谎；撒谎也是权宜之计	거짓말도 방편	[7]

日本語	English	中文	한국어	頁
抵抗(する) ていこう	resistance (to resist)	抵抗	저항(하다)	[8]
キリスト教 きょう	Christianity	基督教	기독교	[9]
罪 つみ	sin, guilt	罪	죄	[9]
*人間 にんげん	human beings	人，人类	인간	[10]
スムーズ(な)	smooth	流畅(的)，顺利(的)	스무스(한)	[10]
**必要(な) ひつよう	necessary	必要(的)	필요(한)	[10]
なじむ	to adapt oneself to, adjust	调整以适应，调和	번지다	[11]
やむを得ない え	inevitable, unavoidable	不得不	어쩔 수 없다	[11]
*親しい した	familiar, friendly, close, intimate	亲近的	친하다	[12]
*夫婦 ふうふ	husband and wife, married couple	夫妇	부부	[13]
-宛 あて	addressed to ～	寄往	～앞	[14]
普段 ふだん	usually, generally, in general	平时，通常	보통	[15]
**彼女 かのじょ	she	她	그녀	[15]
長電話 ながでんわ	long conversation on the phone	长时间地通电话	긴 전화통화	[16]
傍ら かたわ	beside, aside	旁边	옆	[19]
あるいは	or, perhaps	或者，也许	또는, 혹은	[19]
*依頼(する) いらい	request (to request)	请求，请托	의뢰(하다)	[20]
おそらく	probably, maybe, perhaps	可能，恐怕	아마, 필시	[20]
*断る ことわ	to refuse, reject	拒绝	거절하다	[21]
**理由 りゆう	reason, excuse	理由	이유	[22]
宣教師 せんきょうし	missionary	传教士	선교사	[24]
派遣(する) はけん	dispatch (to dispatch)	派遣	파견(하다)	[24]
**オモテ	surface, front, outside	表面，表层	밖, 겉, 표면	[26]
全て すべ	all, every	全部	모두, 전부	[26]

線香をあげる せんこう	to light an incense	上香	향을 올리다	[28]
とんでもない	outrageous, terrible, ridiculous	荒谬的	당치도 않다, 엄청나다	[28]
まして	much less, let alone	何况	하물며, 더구나	[28]
ありえない	impossible, inconceivable	不可能的	있을 수 없다	[29]
知恵 ち え	wisdom, wit	智慧	지혜	[31]

第4課

生活になじむ

ステップ❶ 読もう
「何でもいいと言われても」
■予習シート　■本文

ステップ❷ 整理しよう
文法と表現
■この課の文法と表現　■新しい文法①〜⑥　■接続表現①

ステップ❸ 聞こう
「DELIの注文」
■タスク　■聞き取り

ステップ❹ 話そう・書こう
「いろいろな国の結婚式」
「日本の習慣や日本人の行動」
■目標　■比べられるようになる・理由をつけて意見が言えるようになる
■会話1　■会話2　■ロールプレイ　■スピーチ　■作文

ステップ❺ 挑戦しよう
「緊張の文化」
■予習シート　■本文

ステップ❶ 読もう
「何でもいいと言われても」

予習シート

読む前に

[1] 自分の国の習慣と違う経験をしたことがありますか。
[2] それはどのような経験ですか。
[3] その時どのように思いましたか。

読みながら

[1] ホセさんは、留学する前にどのようなことをよく言われましたか。
[2] このアドバイスについて留学生の間でどのようなことをよく話しますか。
[3] [2]は、例えばどのようなことですか。
[4] [3]について、ホセさんはどのような経験をしましたか。
[5] ホセさんの国ではどうですか。
[6] [4][5]について、ホセさんはどのような意見を持っていますか。

読んだ後で

[1] あなたにもこのような経験がありますか。話してみましょう。

本文

フリガナなし

何でもいいと言われても

　留学する前、「外国語が上手になりたかったらその国の人と仲よくならなくちゃ」とか、「恋人ができたらすぐに会話の力がつくよ」とか、留学経験のある人からよく言われた。

　だけど、留学して半年たって、このことが留学生の間で話題になるたびに友だちと話すのは、「日本人の女の子は分からない」ということだ。たとえば、女の子と二人で出かけて「何が食べたい？」と聞くと「何でもいい」と言われる。「どの店にする？」と聞くと「どこでもいい」と言われる。

　この週末も同じようなことがあった。同じサークルのともちゃんと彼女の友だちの家に遊びに行ったのだけど、友だちが飲み物を出そうとして、「何がいい？」と聞いたとき、ともちゃんは「何でもいい」と答えた。すると、友だちは「コーヒー？　紅茶？　お茶？　冷たいのがいい？　あったかいのがいい？」といろいろ質問した。

　でも、ともちゃんは、「うーん、何でもいい」としか言わなかった。で、友だちが「じゃあ、コーヒーにしようか」って言い出すと、ともちゃんは「うん」と答えていた。そのとき、ぼくはコーヒーが飲みたかったので、それでよかったのだけど、彼女は本当は何がよかったのかなあ……なぞだ！

　たとえば、デートのとき、ぼくの国、チリだったら、ぼくが「あの店にしようか」と言っても、女の子のほうがいやだったら「あっちの店のほうがいい」とはっきり言うのが普通だ。それなのに、日本の女の子の反応はぜんぜん違う。食事ひとつとってもこうだから、会う時間、会う場所……何でも決めるのが大変だ。本当に何でもいいのか、それとも、「何でもいい」と言いながら、本当は違うのか、考えてしまう。ぼくは、違う意見があったら言ってくれるほうがいい。「店を変えさせられた」なんて思わないし、「いやだ」って言われたとたんに、気分を悪くすることだってない。だから、日本の女の子たち、ぼくには、初めから本音で話してね！　　（ホセのブログ）

何でもいいと言われても

留学する前、「外国語が上手になりたかったらその国の人と仲よくならなくちゃ」とか、「恋人ができたらすぐに会話の力がつくよ」とか、留学経験のある人からよく言われた。

だけど、留学して半年たって、このことが留学生の間で話題になるたびに友だちと話すのは、「日本人の女の子は分からない」ということだ。たとえば、女の子と二人で出かけて「何が食べたい？」と聞くと「何でもいい」と言われる。「どの店にする？」と聞くと「どこでもいい」と言われる。

この週末も同じようなことがあった。同じサークルのともちゃんと彼女の友だちの家に遊びに行ったのだけど、友だちが飲み物を出そうとして、「何がいい？」と聞いたとき、ともちゃんは「何でもいい」と答えた。すると、友だちは「コーヒー？ 紅茶？ お茶？ 冷たいのがいい？ あったかいのがいい？」といろいろ質問した。

でも、ともちゃんは、「うーん、何でもいい」としか言わなかった。で、友だちが「じゃあ、コーヒーにしようか」って言い出すと、ともちゃんは「うん」と答えていた。そのとき、ぼくはコーヒーが飲みたかったので、それでよかったのだけど、彼女は本当は何がよかったのかなあ……なぞだ！

たとえば、デートのとき、ぼくの国、チリだったら、ぼくが「あの店にしようか」と言っても、女の子のほうがいやだったら「あっちの店のほうがいい」とはっきり言うのが普通だ。それなのに、日本の女の子の反応はぜんぜん違う。食事ひとつとってもこうだから、会う時間、会う場所……何でも決めるのが大変だ。本当に何でもいいのか、それとも、「何でもいい」と言いながら、本当は違うのか、考えてしまう。ぼくは、違う意見があったら言ってくれるほうがいい。「店を変えさせられた」なんて思わないし、「いやだ」って言われたとたんに、気分を悪くすることだってない。だから、日本の女の子たち、ぼくには、初めから本音で話してね！ （ホセのブログ）

●語彙●

～とか	☞New Grammar ①	☞新语法 ①	☞새로운 문법 ①	[3]
*恋人(こいびと)	boy friend / girl friend	恋人	연인, 애인	[3]
～たびに	☞New Grammar ②	☞新语法 ②	☞새로운 문법 ②	[5]
**普通(ふつう)	ordinary, usual	普通, 一般	보통	[19]
反応(する)(はんのう)	reaction (to react)	反应	반응(하다)	[19]
ひとつとっても	☞New Grammar ④	☞新语法 ④	☞새로운 문법 ④	[19]
**場所(ばしょ)	place, spot	地方, 地点	장소	[20]
*～とたんに	☞New Grammar ⑥	☞新语法 ⑥	☞새로운 문법 ⑥	[23]
**気分(きぶん)	feeling, mood	感觉, 感受	기분	[23]
本音(ほんね)	one's real intention, one's real underlying motive	真心话	진심	[24]
*ブログ	blog	博客	블로그	[24]

ステップ❷ 整理しよう
文法と表現

この課の文法と表現

復習文法

初級で勉強した文法をチェックしましょう。忘れていたら、復習しましょう。

☞ **復習文法** [235頁]

① V-なくちゃ   ス１[2]　ス５[11]
② 使役受身（causative passive）   ス１[22]　ス５[10]

新しい文法

1 ～とか～とか   ス１[3]　ス５[30, 31]
2 V-る ⎫
  Nの ⎬ たびに   ス１[5]　ス５[10]
3 V(plain non-past)のが普通だ   ス１[19]　ス５[36]
4 Nひとつとっても   ス１[19]　ス５[17]
5 ～ながら   ス１[21]　ス５[11]
6 V-たとたん（に）   ス１[23]　ス５[32]

接続表現

1▷ まず   ス５[18]

新しい文法 ①〜⑥

① 〜とか〜とか

such as ~ and/or ~
像〜呀〜呀
〜라든가 〜라든가

[例] a. 駅のそばには、デパートとか銀行とか、いろいろある。

b. 日本語が上手になるには、クラスで日本語しか使わないとか、日本語で日記を書くとか、いろいろな勉強のしかたがある。

c. 留学する前、「外国語が上手になりたかったらその国の人と仲よくならなくちゃ」とか、「恋人ができたらすぐに会話の力がつくよ」とか、留学経験のある人からよく言われた。

[練習1]

1. 最近人気があるのは、＿＿＿＿＿＿＿とか＿＿＿＿＿＿＿とかだ。
2. 目上の人とか知らない人とかと話すときは、＿＿＿＿＿＿＿＿＿＿。
3. ＿＿＿＿＿＿＿＿＿＿＿＿＿＿＿＿＿＿＿＿＿＿＿＿＿＿＿＿。

[練習2]

1. A：もうすぐ入社試験の面接があるんですが、何に気をつけたほうがいいでしょうか。

   B：そうですね……、＿＿＿＿＿＿とか＿＿＿＿＿とかは大事ですね。

   A：ああ、やっぱりそうですか。

   B：うまくいくといいですね。

2. 後輩：来週ゼミで発表するんですけど。

   先輩：そう。じゃあ、＿＿＿＿＿とか＿＿＿＿＿とかに気をつけるといいよ。

   後輩：ああ、そうですね。がんばります。

3. 後輩：＿＿＿＿＿＿＿＿＿＿＿＿＿＿＿＿＿＿＿＿＿んです。

   先輩：そう。じゃあ、＿＿＿＿＿＿とか＿＿＿＿＿＿といいよ。

   後輩：ああ、そうですね。そうします。

● 語彙 ●

| 日記 (にっき) | diary | 日记 | 일기 | [2] |
| 人気がある (にんきがある) | to be popular | 受欢迎，有人气 | 인기가 많다 | [8] |

2 V-る / Nの } たびに 　　　　　　　　ス1 [5]　ス5 [10]

every time one does something, something else happens without fail
每当V/N时
V-(으)ㄹ 때마다
cf. V-ると必ず～する
　　　　　(かなら)

> This pattern expresses that the exact same thing happens on every occasion of someone doing something described by the verb. It expresses the strong cause-effect like relation between the two events.
>
> 这个句型表示只要出现V表示的行为动作，就会毫无例外地发生同样的事情，这两个事件之间存在很强的联系。
>
> V가 나타내는 행동을 하면 항상 예외없이 똑같은 일이 일어난다는 뜻으로, 두 사건의 관계가 밀접하다는 것을 나타냅니다.

[例]　a．この歌を聞くたびに、初めてのデートを思い出す。　　　　　　　　　　[1]
　　　　　　　　　　　　　(はじ)
　　　b．旅行に行くたびに、いつもそこの絵葉書を買う。
　　　(りょこう)　　　　　　　　　(えはがき)
　　　c．このことが留学生の間で話題になるたびに友だちと話すのは、「日本人の
　　　　　　　　　　　(あいだ)(わだい)
　　　　女の子は分からない」ということだ。
　　　　　　(わ)

[練習1]　　　　　　　　　　　　　　　　　　　　　　　　　　　　　　　　　[5]

1．父は、出張のたびに＿＿＿＿＿＿＿＿＿＿＿＿＿＿＿＿＿＿＿＿＿＿＿＿＿＿。
　(ちち)　(しゅっちょう)
2．＿＿＿＿＿＿＿＿＿＿＿＿＿＿＿＿＿＿＿＿たびに、子どものころを思い出す。
3．＿＿＿＿＿＿＿＿＿＿＿＿＿＿＿＿＿＿＿＿＿＿＿＿＿＿＿＿＿＿＿＿＿＿＿。

[練習2]

1．A：日本の生活の感想は？　　　　　　　　　　　　　　　　　　　　　　　[10]
　　　　(せいかつ)(かんそう)
　　B：電車に乗るたびに、＿＿＿＿＿＿＿＿＿＿＿＿＿＿＿＿＿＿と思います。
　　　　　　(の)
　　A：ああ、そうですか。

2．A：このカードが便利ですよ。

　　B：そうですか。どんなところが？

　　A：＿＿＿＿＿＿＿＿＿＿＿＿＿＿＿＿＿＿＿＿たびに、ポイントがたまるんです。　[15]

　　B：そうですか。いいですね。

3．A：Bさんの国ではどんな習慣がありますか。

　　B：＿＿＿＿＿＿＿＿＿＿＿＿たびに＿＿＿＿＿＿＿＿＿＿＿＿＿＿＿＿＿＿。

　　A：そうですか。

● 語彙 ●

ポイント	points	要点	포인트	[15]
たまる	to accumulate	积存，积压	쌓이다	[15]

3 V(plain non-past)のが普通だ　　　　　　　　　　　　　　　　　　ス1 [19] ス5 [36]

　　it is normally the case that one does/does not V
　　V是普遍的/一般的
　　V-는 게 보통이다

[例]　a．日本では、家に入るとき、靴を脱ぐのが普通だ。　　　　　　　　　　　[1]

　　　b．日本では、お茶に砂糖やミルクを入れないのが普通だ。

　　　c．ぼくの国、チリだったら、ぼくが「あの店にしようか」と言っても、女の子のほうがいやだったら「あっちの店のほうがいい」とはっきり言うのが普通だ。　[5]

[練習1]

1．私の国では、＿＿＿＿＿＿＿＿＿＿＿＿＿＿＿＿＿＿＿＿＿＿のが普通だ。

2．困っている人がいたら、＿＿＿＿＿＿＿＿＿＿＿＿＿＿＿＿＿のが普通だ。

3．＿＿＿＿＿＿＿＿＿＿＿＿＿＿＿＿＿＿＿＿＿＿＿＿＿＿＿＿＿。

［練習２］

1. Ａ：今度、結婚式に行くんですが、どんなマナーがありますか。
   Ｂ：ああ、そういうときは、＿＿＿＿＿＿＿＿＿＿＿＿＿＿のが普通ですよ。
   Ａ：そうですか。ありがとうございました。

2. 後輩：日曜日に日本人の友だちの家にいったら、留守だったんです。
   先輩：約束していたの？
   後輩：いいえ。
   先輩：それじゃだめだよ。そういうときは＿＿＿＿＿＿＿＿＿＿のが普通だよ。
   後輩：ああ、そうですね。

3. 先生：きのう、ゼミの発表だったのに、来なかったね。どうしたの。
   学生：あー、すみません。起きたら、夕方だったので……。
   先生：発表の日は＿＿＿＿＿＿＿＿＿＿＿＿＿＿＿＿のが普通だよ。
   学生：はい。これから気をつけます。

● 語彙 ●

| *マナー | manners | 礼节 | 매너 |

4　Nひとつとっても

take N for an example
以N为一例
N 하나를 봐도

This pattern is used to explain something by giving a typical example N which is obvious to everyone.

这一句型用于给出谁都能理解的典型例子(N), 来对某事物进行具体说明。

이 표현은 누구나 알 수 있는 전형적인 예(N)를 들어 뭔가를 구체적으로 설명할 때 사용합니다.

[例]　a．あのレストランはメニューが多い。カレーひとつとっても、10種類もある。

　　　b．インターネットって便利だね。買い物ひとつとっても、いろいろなものが買える。

　　　c．食事ひとつとってもこうだから、会う時間、会う場所……何でも決めるのが大変だ。

[練習１]

1．日本語はおもしろい。文字ひとつとっても、＿＿＿＿＿＿＿＿＿＿＿＿＿＿＿＿＿。

2．あの人は、＿＿＿＿＿＿＿＿＿＿＿＿＿＿ひとつとっても、とてもおしゃれだ。

3．＿＿＿＿＿＿＿＿＿＿＿＿＿＿＿＿＿＿＿＿＿＿＿＿＿＿＿＿＿＿＿＿＿＿＿。

[練習２]

1．A：初めての外国旅行はどうでしたか。

　　B：楽しかったです。＿＿＿＿＿＿＿＿＿＿＿ひとつとっても、自分の国と違っておもしろかったです。

　　A：そうですか。それはよかったですね。例えば、どんなところが……？

2．留学生：漢字って難しいですね。

　　先生：そう？　どんなところが？

　　留学生：読み方ひとつとっても＿＿＿＿＿＿＿＿＿＿＿＿＿＿＿＿＿＿＿＿＿。

3．先生：日本の社会でおもしろいと思うことがありますか。

　　留学生：ええ、もちろんあります。例えば＿＿＿＿＿＿＿＿＿ひとつとっても、

　　　　　　＿＿＿＿＿＿＿＿＿＿＿＿＿＿＿＿。

　　先生：そうですか。日本では普通のことでも、外国人から見れば、おもしろいことなんですね。

● 語彙 ●

| おしゃれ（な） | fashionable | 时尚(的), 时髦(的) | 멋(진), 멋(있는) |

5 〜ながら   ス1 [21] ス5 [11]

while 〜；although 〜
在〜时；尽管〜
〜(으)면서

> When ながら is attached to a stem of an adjective, adjectival noun, noun or a verb expressing some state, it becomes a disjunctive conjunction meaning 'although' or 'nevertheless'. Examples are 若いながら 'although one is young', 子どもながら 'although one is a child' 悪いと思いながら 'although one realizes something is a bad idea'. here is also V1-ながらV2 where V1 expresses an action or a change, and expresses simultaneous actions, meaning one does V2 while doing V1. Examples are 音楽を聞きながら勉強した 'I studied while listening to music. The disjunctive ながら, except idiomatic expressions such as 残念ながら 'regrettably', is normally used in written language.
>
> 「ながら」接续在イ形容词、ナ形容词以及表示状态的动词词干后，表示「けれども」、「のに」等转折。「若いながら」、「子どもながら」、「悪いと思いながら」分别表示「若いのに」、「子どもなのに」、「悪いと思っているのに」的意思。另一方面，表示动作或变化的动词后接「ながら」时，表示同一个主语在同一时间进行的动作，如「音楽を聞きながら勉強した」(一边听音乐一边学习)。表示转折的「ながら」除了像「残念ながら」这样的惯用句以外，主要用于书面语，较少用于口语。
>
> 'ながら'가 イ형용사나 ナ형용사, 상태를 나타내는 동사의 어간에 붙으면 'けれども'나 'のに'와 같은 역접의 뜻을 나타냅니다. '若いながら(젊으면서)', '子どもながら(아이면서)', '悪いと思いながら(나쁘다고 생각하면서)'는 각각 '若いのに(젊은데)', '子どもなのに(아이인데)', '悪いと思っているのに(나쁘다고 생각하는데)'라는 뜻이 됩니다. 한편, 동작이나 변화를 나타내는 동사에 'ながら'가 붙으면 '音楽を聞きながら勉強した(음악을 들으면서 공부했다)'와 같이 동일 주어가 동시에 행하는 동작을 나타냅니다. 역접의 'ながら'는 '残念ながら(유감스럽지만)'와 같은 관용구 이외에는 구어체보다 문어체에서 많이 쓰입니다.

[例]　a．早く寝ればいいと分かっていながら、なかなかインターネットはやめられない。 [1]

　　　b．返事をしなくちゃ、と思いながら、1週間経ってしまいました。

　　　c．本当に何でもいいのか、それとも、「何でもいい」と言いながら、本当は違うのか、考えてしまう。 [5]

[練習1]

1. ＿＿＿＿＿＿＿＿＿＿＿＿＿＿＿＿＿＿＿＿思いながら、いつも忘れてしまう。

2. 体に悪いことだと知りながら、＿＿＿＿＿＿＿＿＿＿＿＿＿＿＿＿＿＿。

3. ＿＿＿＿＿＿＿＿＿＿＿＿＿＿＿＿＿＿＿＿＿＿＿＿＿＿＿＿＿＿＿＿＿。

[練習2]

1. A：Bさん、疲れているようだけど、だいじょうぶですか。
   B：ええ、だいじょうぶです。ちょっと眠いだけです。きのうの夜、寝ようと思いながら、＿＿＿＿＿＿＿＿＿＿＿＿＿＿＿＿んです。
   A：そうなんですか。じゃあ、きょうは早く寝たほうがいいですよ。

2. 学生A：コピーカード、もう買った？
   学生B：まだ。＿＿＿＿＿＿＿＿＿＿＿と思いながら、まだ買っていないんだ。
   学生A：便利だから、早く買ったほうがいいよ。
   学生B：そうだね。そうする。

3. A：ああ～。
   B：どうしたんですか。
   A：レポート＿＿＿＿＿＿＿＿と思いながら、＿＿＿＿＿＿＿＿んです。
   B：そういうことってありますよね。

● 語彙 ●

| 経つ | to elapse | (时间)流逝 | 지나다 | [3] |

6 V-たとたん(に)

as soon as having done V ; no sooner than V-ing
―V…就～
V-자마자
cf.　V-るとすぐに

[例]　a．電車を降りたとたんに、電車の中にかばんを忘れたことに気がついた。
　　　b．先生が教室に入ってきたとたんに、学生たちは静かになった。
　　　c．「いやだ」って言われたとたんに、気分を悪くすることだってない。

[練習1]

1. 部屋に入ったとたんに＿＿＿＿＿＿＿＿＿＿＿＿＿＿＿＿＿＿＿＿＿＿。
2. ＿＿＿＿＿＿＿＿＿＿＿＿＿＿＿＿＿＿＿＿とたん、友だちとぶつかった。
3. ＿＿＿＿＿＿＿＿＿＿＿＿＿＿＿＿＿＿＿＿＿＿＿＿＿＿＿＿＿＿。

［練習2］

1. A：きのう、困(こま)ったことがあったんだ。

   B：どうしたの。

   A：＿＿＿＿＿＿＿＿＿＿＿＿＿＿＿＿＿＿＿とたんに止(と)まっちゃったんだ。

   B：それは……。

2. A：ねえ、Bさん。Cさん、何かあったんでしょうか。

   B：え、どうして？

   A：さっき教室にいたんだけど、授業(じゅぎょう)が始(はじ)まったとたん、＿＿＿＿＿＿＿＿＿

   ＿＿＿＿＿＿んです。

   B：ふうん。やっぱり、何かあったんでしょうね。

3. A：あれ、Cさん、いないの？

   B：うん。さっき＿＿＿＿＿＿＿＿＿とたんに＿＿＿＿＿＿＿＿＿＿んです。

   A：ふうん、そうなんだ。

● 語彙 ●

| ぶつかる | to bump into | 撞, 碰, 突然遇到 | 부딪치다 |

接続表現①

① **まず**

to begin with ; firstly ; first of all
首先
먼저 ; 우선

［例］ a．コピーのしかたを説明(せつめい)します。**まず**、コピーカードを入(い)れます。**次(つぎ)に**、コピーしたい紙(かみ)を置(お)きます。**それから**、紙のサイズを選(えら)びます。**そして**、コピーの数(かず)を押(お)します。**最後(さいご)に**、スタートボタンを押します。

b. 電子辞書はこのように使います。**まず**、つけます。**次に**、調べたい言葉を入れます。**それから**、検索します。**そして**、意味を見ます。**最後に**、消します。　　[5]

● 語彙 ●

| 電子辞書
でんし じしょ | electronic dictionary | 电子辞典 | 전자사전 | [4] |
| 検索（する）
けんさく | search (to search) | 检索 | 검색(하다) | [5] |

ステップ❸ 聞こう
「DELI の注文」

タスク

大学の国際交流サークル「いちＧＯ！会」のミーティングのあと、教室で学生たちが話しています。あなたもその一人です。

[1] 何について話していますか。よく聞いて、質問に答えましょう。
　①チリ人の留学生のブログには何が書いてありましたか。
　②青木さんはどのような経験をしましたか。
　③青木さんはどうしてたまごサンドばかり食べていましたか。
　④青木さんは、その後、どのようなことが分かってきましたか。
　⑤青木さんは④のことをどのように思っていますか。

[2] 1) から13) の＿＿＿＿に言葉を書きましょう。

☞「聞き取り」の答え [240頁]

[3] a) ～ e) の～～の表現は、どのようなときに使うと便利だと思いますか。
　a) じゃ　　　　　　　b) お疲れさま　　　　　c) なになに
　d) ～じゃダメなの？　e) だって

聞き取り

木村：a) じゃ、b) お疲れさま。また来週。　　　　　　　　　　　　　　　　　　　　[1]
渡辺、青木、井上：じゃあね。

第4課 生活になじむ●135

渡辺：（ウェブの画面を見て）ねえ、このブログ、きのう見つけたんだけど、おもしろいんだよ。

青木：c) なになに。 [5]

渡辺：チリ人の留学生が書いたんだけどね。

井上：どれどれ。

渡辺：日本の女の子と1)＿＿＿＿＿＿＿、食べに行く店2)＿＿＿＿＿＿、待ち合わせの場所3)＿＿＿＿＿＿　時間4)＿＿＿＿＿＿何でもいいって言われるらしいよ。それで、日本の女の子はよく分からないって [10] 言ってるけど、これって、日本じゃめずらしくないよね。

青木：そうだね。私もそんな感じかな。でも、私、アメリカに短期留学してたんだけど、初めてDELIに行ったとき、大変だったんだ。

井上：DELIって？

青木：ハムやサラダなんかの専門店かな？ [15]

渡辺：それで？

青木：そこでは、サンドイッチ5)＿＿＿＿＿＿、注文のときにいちいち6)＿＿＿＿＿＿＿……。

渡辺：え？　どういうことを？

青木：パンはどれにするかとか、ハムはどうするかとか、チーズは入れるか入れない [20] かとか、入れるならどのチーズにするかとか、ドレッシングはどうするかとか、こんなことを次から次へと言わせられて……。

井上：え、「ハムサンドください」d) じゃダメなの？

青木：そう、いろいろなハムがあるから大変なの。最初はすぐに言えなくて、注文しないで7)＿＿＿＿＿＿んだ。 [25]

井上：そうなの。

青木：e) だって、急に聞かれてびっくりしたし、後ろにたくさん人が並んでいたから、緊張しちゃって……。

渡辺：そうなんだ。

青木：だから、次は混んでないときを選んで行ったんだけど、8)＿＿＿＿＿＿、 [30] そういう細かいことを9)＿＿＿＿＿＿、やっぱりうまく言えなかっ

たの。

井上：それでどうしたの。

青木：たまごサラダのサンドイッチなら1種類で、パンのことだけ考えればよかったから、次からはたまごサンドばかり注文してたんだ。 [35]

井上：ええ、そうだったんだ。

青木：そのうち、そのやり方になれてきたら、10)＿＿＿＿＿＿＿＿＿＿なんだってことが分かってきたの。それで、何とか注文できるようになったんだけど、それでも、11)＿＿＿＿＿＿＿＿＿＿、頭の中で言い方を考えてから行くようにしたの。 [40]

渡辺：ふーん、大変だったんだね。でも、おもしろいね。

青木：そう。本当は何でもいいんだけどなあと12)＿＿＿＿＿＿＿＿＿＿、ひとつひとつ選んでたんだ。何でもいいと思っているものの中から選ぶっていうのも、案外13)＿＿＿＿＿＿＿＿＿＿よね。

井上：そうだよね。 [45]

● 語彙 ●

| *ミーティング | meeting | 会议 | 회의 | [タスク] |
| ウェブ | web | 网络 | 웹 | [3] |

画面 がめん	screen, display screen	画面	화면	[3]
どれどれ	let me see	让我看看	어디 보자	[7]
待ち合わせ まあ	arrangement of meeting	在约定场所会面	만나기로 하는 일, 약속	[9]
短期留学 たんきりゅうがく	short-term study abroad	短期留学	단기 유학	[12]
DELI デリ	delicatessen, deli	（出售「三明治、色拉等西式食品、菜肴」的）食品店	샌드위치와 같은 조제 식품 판매점	[13]
専門店 せんもんてん	specialty store	专卖店	전문점	[15]
*注文(する) ちゅうもん	order (to place an order)	订购，定货，点餐	주문(하다)	[17]
いちいち	one by one, every single thing	一个一个地，一次一次地	하나 하나	[17]
*緊張(する) きんちょう	strain, tension (to get tensed)	紧张	긴장(하다)	[28]
**細かい こま	detailed, particular	细小，详细，周密，烦琐	세세하다	[31]
*種類 しゅるい	kind, sort, variety	种类	종류	[34]
**なれる	to get used to, become accustomed to	习惯于	익숙해지다	[37]
案外 あんがい	unexpectedly, surprisingly	出人意料，令人惊讶	의외	[44]

ステップ ❹ 話そう・書こう

「いろいろな国の結婚式」
「日本の習慣や日本人の行動」

目標 ■ 比べられるようになる・理由をつけて意見が言えるようになる

会話 1

学生たちがいろいろな国の結婚式の話をしています。_____のところに気をつけて聞きましょう。そして、a～eについて考えましょう。

☞「会話」のインフォーマル・スタイル例 [242頁]

小川：この間の日曜日に先輩の結婚式に行ったんです。

> a．話を始める
> Open the conversation
> 开始发言
> 이야기를 시작한다   [1]

ロバート（イギリス）：そうですか。日本では日曜日に結婚式をするんですか。

> b．話したいことを伝える
> Initiate conversation by introducing a topic
> 告诉别人自己想说的话
> 말하고 싶은 것을 전한다   [5]

小川：え、日曜日にもしますよ。どうして？

ロバート：イギリスでは、たいてい土曜日にします。ふつうの日はなかなかみんなが来られないし、日曜日にはミサがあるので教会が使えないからです。

> c．具体的に話す
> Give concrete information
> 具体地说
> 구체적으로 말한다

小川：へえ、そうなんですか。ほかの国はどうですか。

> d. ほかの情報を聞き出す
> Elicit other related information
> 询问其他信息
> 다른 정보를 요구한다

チン（中国）：中国では、「8」のつく日がいいと言われています。「8」の発音が中国語ではいい意味があるからです。

小川：へえ、そうですか。タイではどうですか。

ワンチャイ（タイ）：タイでは、ふつう結婚式は午前中にします。お坊さんを招くのですが、お坊さんは午後は食事をすることができないからです。

小川：ああ、そうですか。いろいろ国によってずいぶん違うんですね。

> e. コメントして話を終わらせる
> Close the conversation with a comment
> 评论并结束发言
> 코멘트를 하고 이야기를 끝낸다

全員：そうですね。

● 語彙 ●

ミサ	Mass	弥撒	미사	[8]
招く	to invite	招来，邀请	초대하다	[16]

会話 2

次の中から一つ選んで、どのようなことを話すか考えましょう。それから、会話1のように話しましょう。

- 結婚のお祝い
- 新年のお祝い
- バレンタインデーのプレゼント
- そのほか

ロールプレイ

AかBになって話しましょう。

カードA

あなたは留学生です。日本の習慣や日本人の行動で不思議だと思うことについて、自分の国と比べて、クラスメートと話してください。

You are a foreign exchange student. Discuss with your classmate the aspects of Japanese customs and behaviors you find strange and compare them with your own country.

你是一名留学生。请跟同学谈谈日本的习惯和日本人的行为举止中你觉得不可思议的地方，注意与你们国家的进行比较。

당신은 유학생입니다. 일본의 관습이나 일본인의 행동 중에서 이상하다고 느낀 것에 대해 자신의 나라와 비교해서 클래스메이트와 이야기해 보세요.

カードB

あなたは留学生です。Aさんの話を聞いて、自分の経験から意見を言ってください。

You are a foreign exchange student. Listen to what A has to say and express your opinion based on your own experiences.

你是一名留学生。听完A同学的话以后，请根据自己的体验也谈谈你的想法。

당신은 유학생입니다. A 씨의 이야기를 듣고 자신의 경험을 통한 의견을 말해 보세요.

スピーチ

ロールプレイで話したことをスピーチにしましょう。

　　　［ポイント１］　どのような習慣・行動か。
　　　［ポイント２］　あなたと国の習慣・行動とどのように違うか。
　　　［ポイント３］　あなたの意見とその理由は何か。

作文

この課で勉強した文法や語彙を使って、スピーチの内容を「だ・である体」で書きましょう。タイトルは「わたしの国と違う習慣・行動」、字数は400〜600字です。

ステップ❺ 挑戦しよう

「緊張の文化」

予習シート

読む前に

[1] 日本人の家を訪問するときのマナーやお礼のしかたは、あなたの国と同じだと思いますか。

[2] どのように違いますか。または、どのように同じですか。

読みながら

[1] この人は、日本人について多くの人がどのような印象を持っていると考えていますか。

[2] この人は［1］の原因をどのように考えていますか。

[3] ［2］の例を挙げてください。

[4] この人の知り合いも同じ考えを持っていると思いますか。

[5] どうしてそのように言えますか。

[6] 日本人の家への訪問から、［2］の例を挙げてください。

[7] この人は、このような日本の特徴にどのような名前をつけましたか。

[8] 日本と、西欧・韓国・中国とで、緊張のほぐし方はどのように違いますか。

読んだ後で

[1] あなたの国では、家に来たお客さまの緊張をどのようにほぐしますか。

[2] あなたは、この人の意見に賛成ですか。反対ですか。例を挙げながら話してください。

[3] これを書いたのは呉 善花さん（1956年韓国生まれ。1983年来日。評論家）です。どのような人か、もっと調べてみましょう。

本文

フリガナなし

緊張の文化 [1]

　日本人は、（中略）生活上のルールについてはきわめて厳格です。この厳格さ（中略）が、日本人はなかなか打ち解けようとしない、という印象につながります。

　時間を守らない、電車やバスにきちんと並ばない、親しい間での礼儀を欠いている、約束を守らない。こういう人は日本の社会では「だらしがない人」と嫌われます。（中略） [5]

　たとえばお礼状。どこかへ講演に行けば必ず後にお礼状をいただきます。また、ちょっと旅行へ行って日頃お世話になっている方にお土産を送ったり、自宅へお招きしたりすれば、だいたいはお礼状がきます。（中略）

　お礼状をいただくたびに、私のほうからはほとんど出していないことに気づかされ、気が重くなってしまいます。ああ、出さなくちゃ、と思いながら日にちが経ってしまい、機会を逸してしまうのです。韓国ではお礼状を出すことはほとんどありません。知り合いの来日七年になる韓国人留学生も、こんなふうに言っていました。 [10]

　「韓国では人間関係で疲れることが多いのですが、日本ではその点はほんとうに楽です。ただ、返礼の習慣になかなかついていけなくて、これがとても疲れるんです。いい習慣だと思うのですが……」 [15]

　日本では、住居への訪問ひとつとっても、礼儀に基づいたルールがしっかりと守られています。まず、玄関口でていねいな挨拶。「本日はお招きいただきまして……」「突然お邪魔してご迷惑ではなかったでしょうか」など。脱いだ靴は必ずきちんとそろえて上がります。そして上がるときには「失礼します」との言葉。（中略）手土産が持参され、「つまらないものですが」「たいしたものではありませんが」との言葉が [20]

そえられます。

　お茶を出せば必ず頭を下げ、「どうかおかまいなく」と言う場合も。飲むときには「いただきます」の言葉。食事が終われば必ず「ごちそうさま」の言葉があります。（中略）

　退出時になると、時計を見ながら「そろそろ失礼しませんと」と断り、（中略）「大変にご馳走になりました」（中略）などの言葉で玄関を出られます。

　こうした日本の礼儀作法は、西欧的なエチケットともマナーとも異なる、ある種の緊張の文化だと思います。

　主人役が「どうぞ気楽にしてください」とか「ウチはかまいませんから遠慮なくやってください」とか言って、徐々に客の緊張をほぐしていくのも特徴的です。

　西欧の場合は、サッと握手したとたんに緊張をとって、すぐにリラックスした状態で話をはじめるという意味では、弛緩（リラックス）の文化と言ってよいかもしれません。（中略）

　韓国人でも中国人でもそうです。様子のわからない外国人には緊張を続けることがありますが、一般には早く緊張をほぐして打ち解けていくのが普通です。

（呉　善花『日本人を冒険する――あいまいさのミステリー』三交社、1997年）

● フリガナつき

緊張の文化

　日本人は、（中略）生活上のルールについてはきわめて厳格です。この厳格さ（中略）が、日本人はなかなか打ち解けようとしない、という印象につながります。

　時間を守らない、電車やバスにきちんと並ばない、親しい間での礼儀を欠いている、約束を守らない。こういう人は日本の社会では「だらしがない人」と嫌われます。（中略）

　たとえばお礼状。どこかへ講演に行けば必ず後にお礼状をいただきます。また、ちょっと旅行へ行って日頃お世話になっている方にお土産を送ったり、自宅へお招きしたりすれば、だいたいはお礼状がきます。（中略）

　お礼状をいただくたびに、私のほうからはほとんど出していないことに気づかさ

れ、気が重くなってしまいます。ああ、出さなくちゃ、と思いながら日にちが経ってしまい、機会を逸してしまうのです。韓国ではお礼状を出すことはほとんどありません。知り合いの来日七年になる韓国人留学生も、こんなふうに言っていました。

「韓国では人間関係で疲れることが多いのですが、日本ではその点はほんとうに楽です。ただ、返礼の習慣になかなかついていけなくて、これがとても疲れるんです。いい習慣だと思うのですが……」

日本では、住居への訪問ひとつとっても、礼儀に基づいたルールがしっかりと守られています。まず、玄関口でていねいな挨拶。「本日はお招きいただきまして……」「突然お邪魔してご迷惑ではなかったでしょうか」など。脱いだ靴は必ずきちんとそろえて上がります。そして上がるときには「失礼します」との言葉。（中略）手土産が持参され、「つまらないものですが」「たいしたものではありませんが」との言葉がそえられます。

お茶を出せば必ず頭を下げ、「どうかおかまいなく」と言う場合も。飲むときには「いただきます」の言葉。食事が終われば必ず「ごちそうさま」の言葉があります。（中略）

退出時になると、時計を見ながら「そろそろ失礼しませんと」と断り、（中略）「大変にご馳走になりました」（中略）などの言葉で玄関を出られます。

こうした日本の礼儀作法は、西欧的なエチケットともマナーとも異なる、ある種の緊張の文化だと思います。

主人役が「どうぞ気楽にしてください」とか「ウチはかまいませんから遠慮なくやってください」とか言って、徐々に客の緊張をほぐしていくのも特徴的です。

西欧の場合は、サッと握手したとたんに緊張をとって、すぐにリラックスした状態で話をはじめるという意味では、弛緩（リラックス）の文化と言ってよいかもしれません。（中略）

韓国人でも中国人でもそうです。様子のわからない外国人には緊張を続けることがありますが、一般には早く緊張をほぐして打ち解けていくのが普通です。

（呉 善花『日本人を冒険する——あいまいさのミステリー』三交社、1997年）

● 語彙 ●

* 一上(じょう)	in ～, in terms of ～ from the viewpoint of ～	～方面，～上	～상	[2]
* ルール	rule	规则	룰, 규칙	[2]
きわめて	extremely, really, very	极其，非常	극도로, 극히	[2]
厳格(な)(げんかく)	strict, severe, rigid	严格	엄격(한)	[2]
打ち解ける(うと)	to behave open, come out of one's cell	敞开心扉	마음을 터놓다, 허물없이 사귀다	[3]
* 印象(いんしょう)	impression	印象	인상	[3]
* つながる	to connect, link, join	相连	이어지다	[3]
** 並ぶ(なら)	to line, queue	排列，列队	줄을 서다	[4]
礼儀(れいぎ)	etiquette, courtesy, decency	礼仪	예의	[4]
欠く(か)	to lack, miss	欠缺，缺乏	결여되다	[4]
** 約束(する)(やくそく)	promise (to promise)	诺言，许诺	약속(하다)	[5]
* 守る(まも)	to protect, guard, defend, keep	遵守，保护	지키다	[5]
だらしがない	untidy, wild, sloppy	散漫的，不检点的，邋遢的	(마음가짐, 태도 등이) 단정하지 않다	[5]
礼状(れいじょう)	letter of thanks	感谢信	사례의 편지	[7]

講演(する) こうえん	lecture (to lecture, give a speech, address)	演讲	강연(하다)	[7]
日頃 ひごろ	everyday, daily	日常，平常	평소	[8]
** 世話 せわ	care, attention	照料，帮助	신세	[8]
* 土産 みやげ	souvenir, gift, present	礼品	선물	[8]
自宅 じたく	one's house	自己的住宅	자택	[8]
* 気づく き	to notice	注意到，认识到	깨닫다	[10]
気が重い き おも	to be depressed	心事重重，闷闷不乐	마음이 무겁다	[11]
* 日にち ひ	days	日子，天数，日期	날짜	[11]
経つ た	to elapse	(时间)流逝	지나다	[11]
逸する いっ	to miss	错过，失去	놓치다	[12]
来日(する) らいにち	coming to Japan (to come to Japan)	来到日本	일본에 오다	[13]
韓国人 かんこくじん	Korean person	韩国人	한국인	[13]
返礼 へんれい	acknowledgement of ～, return courtesy	回礼，答礼	답례	[15]
住居 じゅうきょ	house, residence	住房，住所	집	[17]
訪問(する) ほうもん	visit (to pay a visit)	拜访，访问	방문(하다)	[17]
基づく もと	to be based on	以～为基础	기초하다	[17]
玄関口 げんかんぐち	the entrance of a house	住宅等建筑物的人口，玄关	현관문	[18]
** 挨拶 あいさつ	greetings	问候，打招呼	인사	[18]
** お邪魔する じゃま	to pay a visit, visit	拜访，打搅	(남의 집을) 방문하다	[19]
* 迷惑(な) めいわく	trouble, annoyance, nuisance	麻烦，为难，困扰，讨厌	곤란(한)	[19]
手土産 てみやげ	visitor's present, gift	登门拜访时携带的礼品	집 방문시 들고 가는 선물	[20]
持参する じさん	to bring ～ with oneself	携带	지참하다, 가지고 가다	[21]
そえる	to attach, add	附上，附加	곁들이다	[22]
退出(する) たいしゅつ	leave (to leave, excuse)	告辞，离开	떠나다, 물러나다	[26]

作法（さほう）	manner, etiquette	礼仪，礼节	예의범절，예절	[28]
西欧的（な）（せいおうてき）	western	西欧的	서구적（인）	[28]
エチケット	etiquette	礼节，规则和礼法	에티켓	[28]
*マナー	manners	礼节	매너	[28]
異なる（こと）	to be different, differ	不同	다르다	[28]
ある種の（しゅ）	some kind of	某种	일종의	[28]
主人役（しゅじんやく）	host part	主人	주인 역할	[30]
*気楽（な）（きらく）	familiar, easy, comfortable	熟悉的，舒适的	편안（한），편（한）	[30]
**遠慮なく（えんりょ）	without reserve, frankly	不客气地，不拘束地	사양하지 않고，사양말고	[30]
徐々に（じょじょ）	gradually, little by little	渐渐	서서히	[31]
ほぐす	to disentangle, relax	缓解，缓和	풀다	[31]
*特徴的（な）（とくちょうてき）	characteristic	表现事物特征的，典型的	특징적（인）	[31]
*握手（する）（あくしゅ）	shaking hands (to shake hands)	握手	악수（하다）	[32]
*リラックス（する）	relaxation (to relax)	放松	릴랙스（하다）	[32]
*状態（じょうたい）	situation	状态	상태	[32]
弛緩（する）（しかん）	looseness, relaxation (to relax)	松弛，舒缓	이완（되다）	[33]
*様子（ようす）	appearance	外观	상황	[35]

第5課

経験をふりかえる

ステップ❶ 読もう

「留学生たちのアルバイト経験」

■予習シート　■本文

ステップ❷ 整理しよう

文法と表現

■この課の文法と表現　■新しい文法①～⑦　■接続表現①

ステップ❸ 聞こう

「日本人との付き合いで困ること」

■タスク　■聞き取り

ステップ❹ 話そう・書こう

「「また今度」の意味」
「日本語ならではの言葉」

■目標　■聞いたことが伝えられるようになる・意見（賛成・反対）が言えるようになる
■会話1　■会話2　■座談会　■スピーチ　■作文

ステップ❺ 挑戦しよう

「水泳にまつわる話」

■予習シート　■本文

ステップ❶ 読もう
「留学生たちのアルバイト経験」

予習シート

読む前に

[1] あなたはアルバイトをしたことがありますか。

[2] アルバイトをしているところでの人間関係で、どのようなことがありましたか。

[3] そのときにどう思いましたか。

読みながら

[1] 中山さんはどのような仕事をしていますか。

[2] Aさんはどのようなアルバイトをしていますか。

[3] [2] ではどのような人と仕事をしていますか。

[4] Aさんの、それぞれの人との経験をまとめてください。

[5] Bさんはどのようなアルバイトをしていますか。

[6] [5] ではどのような人と仕事をしていますか。

[7] Bさんの経験をまとめてください。

[8] 中山さんは、AさんとBさんの話からどのようなことを考えましたか。

読んだ後で

[1] 中山さんの考えについて、あなたはどう思いますか。賛成ですか。反対ですか。それはどうしてですか。

● 語彙 ●

留学生センター りゅうがくせい	international student center	留学生中心	유학생 센터	[1]
接する せっ	to be exposed to, get contact with	接触，连接	접하다	[2]
話に花が咲く はなし はな さ	to engage in a lively discussion	越谈越起劲	이야기 꽃을 피우다	[3]
～にまつわる	☞New Grammar 2	☞新语法 2	☞새로운 문법 2	[4]
*なぜか	somehow, for some reason	不知为什么，不知何故	왠지	[6]
**叱る しか	to scold	责备，训斥，批评	혼내다, 꾸짖다	[6]
V-ざるをえない	☞New Grammar 3	☞新语法 3	☞새로운 문법 3	[7]
～だけだ	☞New Grammar 4	☞新语法 4	☞새로운 문법 4	[8]
**失敗(する) しっぱい	failure (to fail)	失败	실수(하다), 실패(하다)	[8]
～せいか	☞New Grammar 5	☞新语法 5	☞새로운 문법 5	[10]
*職場 しょくば	work place	工作岗位，工作场所	직장	[11]
声をかける こえ	to talk to	招呼，寒暄	말을 걸다	[13]
すっと	quickly	行动轻快，进展顺利的样子	후련하게, 뻥하고	[14]
**心 こころ	mind	心，精神	마음, 가슴	[14]
*年配 ねんぱい	elderly, aged	中年，有一定年纪的	나이든 사람	[17]
*分ける わ	to share, spare	分发，分给	나누다	[18]
～ように	☞New Grammar 6	☞新语法 6	☞새로운 문법 6	[18]
*かわいがる	to treat ～ with affection, love	喜爱，疼爱	예뻐하다	[18]
**おかげで	by virtue of someone, thanks to someone	托某人的福，多亏某人	덕분에	[20]
枠 わく	frame, limit	框子，限制，框框	틀, 한계	[21]
超える こ	to go over, surpass	超出，超越	넘다	[21]
視野 しや	view, sight, outlook	视野	시야	[21]
～に違いない ちが	☞New Grammar 7	☞新语法 7	☞새로운 문법 7	[24]

**教育 _{きょういく}	education	教育	교육	[24]
コラム	column	专栏	칼럼	[24]

ステップ❷ 整理しよう
文法と表現

この課の文法と表現

新しい文法

1. V1-る中でV2　　　　　　　　　　　　　　　　　　　ス1 [2]　ス5 [33]

2. N1にまつわるN2　　　　　　　　　　　　　　　　　ス1 [3]　ス5 [1, 35]

3. V-ざるをえない　　　　　　　　　　　　　　　　　　ス1 [7]　ス5 [30]

4. S(plain)だけだ　　　　　　　　　　　　　　　　　　ス1 [8]　ス5 [27]

5. S(plain) / Nの 〉せいか、〜　　　　　　　　　　　　ス1 [10, 11]　ス5 [4]

6. S(plain) / Nの 〉ようにV　　　　　　　　　　　　　ス1 [18]　ス5 [10]

7. S(plain) / N 〉に違いない　　　　　　　　　　　　　ス1 [24]　ス5 [32]

接続表現

1. ところで　　　　　　　　　　　　　　　　　　　　　ス5 [15]

新しい文法 1～7

1　V1-る中でV2
ス1 [2]　ス5 [33]

while ～ ; during the course of ～
在V1的过程中V2
V1(으)면서 V2 ; V1-는 중에 V2
cf.　S(plain)うちに

> This pattern means that some change represented by V2 is realized through the course of the speaker's experience depicted by V1. It can be paraphrased as S(plain)うちに～.
>
> 该句型表示在V1所表达的说话人参与的某个动作过程中，V2所表达的变化逐渐实现。也可以说成「S(plain)うちに～」。
>
> 이 표현은 말하는 이가 V1로 나타나는 경험을 통해 V2가 나타내는 변화가 서서히 실현되었다는 것을 나타냅니다. 'S(plain)うちに～'로 바꿔 말할 수 있습니다.

[例]　a．サークル活動をする中で、みんなと仲よくなっていった。　[1]

b．何度も練習をくりかえす中で、だんだんはっきりと発音できるようになった。

c．留学生と接する中で、彼らの日本社会体験について考えるようになる。

[練習1]　[5]

1．寮で生活する中で、私は＿＿＿＿＿＿＿＿＿＿＿＿＿＿＿＿＿＿＿＿＿。

2．＿＿＿＿＿＿＿＿＿＿＿＿＿＿中で、私は日本人の考え方が分かるようになった。

3．＿＿＿＿＿＿＿＿＿＿＿＿＿＿＿＿＿＿＿＿＿＿＿＿＿＿＿＿＿＿＿。

[練習2]

1．先生：みなさん、日本で暮らしてみて、自分の中で何か変わりましたか。　[10]

留学生：うーん、そうですね……、日本で暮らす中で、＿＿＿＿＿＿＿＿＿＿＿＿＿＿＿＿＿＿ようになりました。

先生：ああ、そうですか。

留学生：ええ。

2．先生：今学期のクラスはきょうで終わりですね。日本で日本語を勉強してみて、　　［15］
　　　　　どうでしたか。

　　学生：うーん、そうですね……、＿＿＿＿＿＿＿＿＿＿＿＿＿＿＿＿＿中で

　　　　　予習と復習が必要だということが分かりました。

　　先生：ああ、そうですね。

3．（就職試験の面接で）　　　　　　　　　　　　　　　　　　　　　　　　　　［20］

　　面接者：大学生生活で、勉強以外にどんなことを学びましたか。

　　学生：私は国際交流サークルに入っているのですが、＿＿＿＿＿＿＿＿＿＿

　　　　　中で、＿＿＿＿＿＿＿＿＿＿＿＿＿＿＿＿＿＿ことを学びました。

　　面接者：そうですか。その話をもう少しくわしく聞かせてください。

● 語彙 ●

くりかえす	to repeat	重复，反复做	반복하다	[2]
今学期	this semester	这个学期	이번 학기	[15]
面接者	interviewer	面试者	면접자	[21]
～以外	other than ～	～以外	이외	[21]
学ぶ	to learn	学习	배우다	[21]
くわしい	detailed	详细	자세하다	[24]

2　**N1にまつわるN2**　　　　　　　　　　　　　　　　　　　ス1 [3]　ス5 [1, 35]

　　N2 related to N1；N2 concerning N1；N2 associated with N1
　　与N1相关的N2
　　N1에 얽힌 N2；N1과/와 관련된 N2

> The verb まつわる can only be used as a noun modifier as in this pattern. Examples are 富士山にまつわる伝説 'a legend related to Mt.Fuji', その政治家にまつわる噂 'a rumor about that politician'. Similar expressions are N1に関するN2 and N1についてのN2 (☞Chapter2, New Grammar 2). The difference is only in nuance: the verb まつわる means to cling or to wind around, while N1にまつわるN2 signifies that the connection between the two nouns is very tight and cannot easily be loosened or disentangled.
>
> 动词「まつわる」只能像在这个句型里那样，用作定语来修饰名词。例如「富士山にまつわる伝

説」(与富士山有关的传说)、「その政治家にまつわる噂」(与那个政治家有关的传言)。与这个句型相似的有「N1に関するN2，N1についてのN2」(☞第2课，新语法②)。动词「まつわる」有"缠绕、纠缠"的意思，因此「N1にまつわるN2」能表示两个名词之间紧密的联系。

'まつわる'라는 동사는 이 표현과 같이 명사의 수식어로써만 사용합니다. 예문으로는 '富士山にまつわる伝説(후지산에 얽힌 전설)', 'その政治家にまつわる噂(그 정치가와 관련된 소문)' 등이 있습니다. 이와 비슷한 표현으로 'N1に関するN2，N1についてのN2'(☞제2과, 새로운 문법②)가 있는데, 'まつわる'라는 동사에는 뭔가에 들러 붙거나 휘감긴다는 뜻이 있어서, 'N1にまつわるN2'의 경우 두 명사 사이의 관계가 매우 강하게 연결되어 있다는 뜻을 내포합니다.

[例]　a．コーヒーにまつわる歴史
　　　b．外国語にまつわる失敗
　　　c．留学生のアルバイトにまつわる話

[練習1]

1．私の国には、＿＿＿＿＿＿＿＿＿＿＿＿＿＿にまつわる昔話が多い。

2．私には＿＿＿＿＿＿＿＿＿＿＿＿＿＿＿にまつわる思い出がある。

3．＿＿＿＿＿＿＿＿＿＿＿＿＿＿＿＿＿＿＿＿＿＿＿＿＿＿＿。

[練習2]

1．(ゼミで)

　先生：きょうは「忘れられないこと」について話してください。だれから話してもらおうかな……。じゃあ、Aさん、どうですか。

　学生A：あ、はい、＿＿＿＿＿＿＿＿＿＿＿＿＿にまつわる思い出を話そうと思うんですが、こういう話でもいいですか。

　先生：いいですね。続けてください。

2．先生：今度の発表では、みなさんの体験を話してください。テーマは何でもかまいません。

　学生A：先生、＿＿＿＿＿＿＿＿にまつわる＿＿＿＿＿＿＿でもいいですか。

　先生：もちろん、いいです。

3．先生：「日本語にまつわる失敗」というのがありますか。

　学生：それならたくさんあります。

　　　例えば、＿＿＿＿＿＿＿＿＿＿＿＿＿＿＿＿＿＿＿＿＿＿＿＿。

● 語彙 ●

| 昔話
むかしばなし | old tale, legend | 传说 | 옛날 이야기 | [5] |

3 V-ざるをえない   ス1 [7] ス5 [30]

(despite your wish not to do,) you have to do ~ ; you cannot help but V
不得不
어쩔 수 없이 V
cf.　V-ないわけにはいかない

> V-ざる, a classical negation comparable to contemporary V-ない, is formed by replacing ない with ざる. Note that for しない, the form is せざる and not しざる. V-ざるをえない means that one figures that s/he must do something inspite of her/his disagreement or intention not to do that. The similar expression is V-ないわけにはいかない. V-ざるをえない is not often used in casual conversation；instead しなくてはいけない and しなければならない are used.
>
> 「V-ざる」相当于现代日语的「V-ない」，只是将「V-ない」中的「ない」换成「ざる」而已，属于古代日语的表达。「V-ざるを得ない」具有「したくないけれど～しなくてはならない」(虽不愿意但必须～)，「～するほかに方法がない」(除～外别无他法)的意思，是书面语表达。在会话中一般说成「しなくてはいけない」，「しなければならない」等，较少使用「V-ざるをえない」。
>
> 'V-ざる'는 현대어의 'V-ない'에 해당하는 고전적인 표현으로, 'V-ない'의 'ない'를 'ざる'로 바꿔 말한 형태입니다. 'V-ざるをえない'는 '하고 싶지 않지만 ~해야 한다(하고 싶지 않지만 ~해야 한다)'나 '～するほかに方法がない(~하는 것 외에 방법이 없다)'라는 뜻을 나타내는 문어체 표현입니다. 이 표현은 구어체에서는 그다지 사용하지 않습니다. 그 대신 'しなくてはいけない' 또는 'しなければならない' 등을 사용합니다.

[例]　a．急に用事ができて、約束をキャンセルせざるをえなくなった。　[1]
　　　b．お金がなかったので、カードで払わざるをえなかった。
　　　c．分からないことはその先輩に聞かざるをえないが、質問しても「自分で考えて」と言うだけで教えてくれない。

[練習1]　[5]

1．あした試験があるので、今晩は＿＿＿＿＿＿＿＿＿＿＿＿＿＿＿＿ざるをえない。
2．＿＿＿＿＿＿＿＿＿＿＿＿＿＿＿＿＿＿ので、手伝わざるをえなかった。
3．＿＿＿＿＿＿＿＿＿＿＿＿＿＿＿＿＿＿＿＿＿＿＿＿＿＿＿＿＿。

● 語彙 ●

| キャンセル(する) | cancellation (to cancel) | 取消 | 취소(하다) | [1] |

4 S(plain)だけだ   ス1 [8] ス5 [27]

it is nothing more than S ; it does not mean anything other than S ; it is simply S
无非是S；只不过S罢了
S 뿐이다 ; S기만 할 뿐이다

[例]　a．服を買いに行ったが、見ただけで買わなかった。　　　　　　　　　　[1]

　　　b．旅行に行きたくないわけじゃない。今は時間がないだけだ。

　　　c．質問しても「自分で考えて」と言うだけで教えてくれない。

[練習1]

1．その本は、＿＿＿＿＿＿＿＿＿＿＿＿＿＿＿＿＿だけで、まだ読んでいない。 [5]

2．勉強しに図書館へ行ったのではない。＿＿＿＿＿＿＿＿＿＿＿＿＿＿だけだ。

3．＿＿＿＿＿＿＿＿＿＿＿＿＿＿＿＿＿＿＿＿＿＿＿＿＿＿＿＿＿＿＿＿＿。

[練習2]

1．A：このスープ、おいしいですね！

　　B：そうですか。インスタントで、お湯を＿＿＿＿＿＿＿＿だけなんですけど。 [10]

　　A：あ、でも、おいしいです。

　　B：それはよかったです。

2．留学生A：あした、会社の説明会がありますね。一緒に行きませんか。

　　留学生B：うーん、でも、外国人を採用してくれるでしょうか。

　　留学生A：去年、採用したそうですよ。＿＿＿＿＿＿＿＿＿＿＿＿だけでも [15]
　　　　　　いいから、行きましょう。

　　留学生B：そうですね。それなら、行ってみましょう。誘ってくれて、ありがとう。

3. 先生Ａ：あれ、ＡさんとＢさんのレポート、書いてあることがほとんど同じ

　　　　　……。　　　　　　　　　　　　　　　　　　　　　　　　　　　[20]

　先生Ｂ：どれどれ……、ああ、本当(ほんとう)ですね。

　　　　　_____だけかもしれませんね。

　先生Ａ：そうかもしれませんねえ。

　先生Ｂ：ええ。

●語彙●

インスタント	instant	即時的，速成的	인스턴트	[10]
湯(ゆ)	hot water	热水	뜨거운 물	[10]
採用(する)(さいよう)	appointment, employment (to appoint)	录取，录用	채용(하다)	[14]

5 S(plain)
　Nの ｝せいか、〜　　　　　　　　　　　　　　ス1 [10, 11]　ス5 [4]

maybe because of S(plain)/N, 〜 ; possibly due to S(plain)/N, 〜
或许是因为N/S的缘故，〜
N/S 탓인지 〜 ; N/S 때문인지 〜
cf.　Nの/S(plain)せいで

S(plain)/Nの せいか expresses a possible cause of some situation expressed in the following part, while showing the speaker's uncertainty about the cause-effect relation. If the speaker is certain of it, S(plain)/Nの せいで without the questions particle か is used instead.

「S(plain)/Nの せいか」表示说话人虽没有百分之百的确信，但认为S/N是其后面所述的状态的原因或理由。假如说话人百分之百确信，则用「S(plain)/Nの せいで」。

'S(plain)/Nの せいか'는 말하는 이가 100% 확신은 없지만, 그 뒤에 연결되는 상태의 원인이나 이유로 생각할 수 있는 것을 나타냅니다. 만일 말하는 이가 100% 확신이 있는 경우에는 'S(plain)/Nの せいで'를 사용합니다.

［例］　a．かぜのせいか、熱がある。　　　　　　　　　　　　　　　　　　　　［1］

　　　　b．きのう歩きすぎたせいか、足が痛い。

　　　　c．こんなに叱られるのは、自分が留学生のせいか、それとも自分の仕事のしかたに問題があるせいか分からない。

［練習1］　　　　　　　　　　　　　　　　　　　　　　　　　　　　　　　　　［5］

1．きのうよく寝られなかったせいか、＿＿＿＿＿＿＿＿＿＿＿＿＿＿＿＿＿＿＿＿＿。

2．＿＿＿＿＿＿＿＿＿＿＿＿＿＿＿＿せいか、電車の中で本を読むのは好きじゃない。

3．＿＿＿＿＿＿＿＿＿＿＿＿＿＿＿＿＿＿＿＿＿＿＿＿＿＿＿＿＿＿＿＿＿＿＿＿＿。

［練習2］

1．A：あれ？　どうしたんですか。きょうは静かですね。　　　　　　　　　　　［10］

　　B：ええ、＿＿＿＿＿＿＿＿＿＿＿＿＿＿＿＿＿せいか、頭が痛いんです。

　　A：だいじょうぶですか。

　　B：はあ……。

2．A：この前、図書館で借りた本、もう読みましたか。

　　B：ええ。　　　　　　　　　　　　　　　　　　　　　　　　　　　　　　　［15］

　　A：どうでしたか。

　　B：＿＿＿＿＿＿＿＿＿＿＿＿＿＿＿＿＿せいか、とても読みやすかったです。

　　A：そうですか。じゃあ、私も読もうかな。

3．A：どうしたんですか。元気がないですね。

　　B：ええ、アルバイトの面接、ダメだったんです。　　　　　　　　　　　　　［20］

　　　　＿＿＿＿＿＿＿＿＿＿＿＿＿＿＿＿＿＿＿＿＿＿＿＿＿＿＿せいかな。

　　A：ああ、……。また、ほかのアルバイトが見つかるといいですね。

　　B：ええ。

⑥ **S(plain)** ｝ようにV　　　　　　　　　　　　　　　　　　　ス1［18］　ス5［10］
　　Nの

just like ～；as if it were ～
像S/N一样V
S/N처럼(같이) V；S/N 듯이 V

> S(plain)/Nのように expresses the speaker's conjecture that something or someone behaves just like as is expressed in S(plain) or N. This phrase is an adverbial phrase for the verb. When it modifies a Noun, S(plain)/NのようなN is used.
>
> 「S(plain)/Nのように」表示说话人推测某个行为动作与S(plain)所表达的相类似。这个表达是修饰动词的状语性成分，如果修饰的是名词，则说成「S(plain)/NのようなN」。
>
> 'S(plain)/Nのように'는 말하는 이가 어떤 일이나 누군가의 행동이 S(plain)가 나타내는 것과 유사하다고 추측할 때 사용합니다. 이 표현은 동사를 수식하는 부사적 표현으로, 명사를 수식할 때는 'S(plain)/NのようなN'이 됩니다.

[例]　a．あの先生は子どもに教えるように、分かりやすく説明してくれる。
　　　b．「一緒に買い物に行くって約束してたけど、勉強忙しいから……」と言ったら、姉はがっかりしたように部屋を出て行った。
　　　c．彼女のことを子どものようにかわいがってくれるのだそうだ。

[練習１]
1．先輩は、後輩を＿＿＿＿＿＿＿＿＿＿＿＿＿＿＿＿ように思っている。
2．友だちは、思い出したように急に、＿＿＿＿＿＿＿＿＿＿＿＿＿＿＿。
3．＿＿＿＿＿＿＿＿＿＿＿＿＿＿＿＿＿＿＿＿＿＿＿＿＿＿＿＿＿。

[練習２]
1．Ａ：この間のパーティーで、Ｃさん、ピアノをひいて歌ったそうですね。
　　Ｂ：ええ、＿＿＿＿＿＿＿＿＿＿＿＿＿＿＿＿ようにすてきでした。
　　Ａ：いいなあ。私も聞きたかったです。
2．Ａ：休みが終わって、Ｂさん、とても日本語が上手になりましたね。
　　Ｂ：日本人の友だちと二人で京都に旅行したんです。旅行の間、友だちが先生のように＿＿＿＿＿＿＿＿＿＿＿＿ので、とても日本語の勉強になりました。
　　Ａ：それはよかったですね。
3．Ａ：旅行で何か困ったことがありましたか。
　　Ｂ：ええ。小さい町で初めてバスに乗ったとき、一万円札しかなくて、それを出したら、運転手さんは、＿＿＿＿＿＿＿ように、ためいきをついたんです。
　　Ａ：そうでしたか。

● 語彙 ●

| ためいきをつく | to sigh | 唉声叹气 | 한숨을 쉬다 | [19] |

7 S(plain) / N に違いない   ス1 [24] ス5 [32]

it must be the case that 〜 ; there is no doubt that S is the case
一定是S/N
틀림없이 S/N ; S(것)/N 임에 틀림없다

> This pattern expresses the speaker's strong conviction that there is no mistake in inferring that something is the case. This pattern tends to express the speaker's subjective opinion about something which may not sound logical. Due to its strong subjective nature, using this pattern may make you sound dogmatic or self-centered. It is better to avoid this phrase in formal writings or in theses.
>
> 该句型表示说话人坚信S(plain)或N所表达的是真实的情况。多用来表达说话人的主观看法，未必符合逻辑。由于主观意味较强，有时会令人感到说话人有些专断或以自我为中心。在论文等书面表达中，应尽量避免使用。
>
> 이 문형은 말하는 이가 S(plain)나 N이 나타내는 것이 진실이라고 강하게 믿고 있다는 것을 나타냅니다. 논리적이라기 보다는 말하는 이의 주관적인 의견인 경우가 많습니다. 주관적인 의미가 강하므로 독단적이거나 자기 중심적으로 들릴 수도 있습니다. 문어체나 논문 등에서 이 표현은 사용하지 않는 것이 좋습니다.

[例]　a．日本の敬語は外国人には難しいに違いない。 [1]

　　　b．さいふがない。電車の中でとられたに違いない。

　　　c．どんなときでも、一人で考えるのではなく、むしろいろいろな立場の人々の意見を聞くことが大切なのに違いない。

[練習1] [5]

1．あのレストランはいつもすいている。＿＿＿＿＿＿＿＿＿＿＿＿＿に違いない。

2．あっ、かぎがない。＿＿＿＿＿＿＿＿＿＿＿＿＿＿＿＿＿＿に違いない。

3．＿＿＿＿＿＿＿＿＿＿＿＿＿＿＿＿＿＿＿＿＿＿＿＿＿＿＿＿＿＿＿＿。

[練習2]

1．（朝の教室で） [10]

　　先生：あれ？ Bさんはまだ来ていませんか。

　　学生A：そうなんです。きっと＿＿＿＿＿＿＿＿＿＿＿＿＿＿＿＿に違いありません。

　　先生：そうですか。

2．留学生A：休みも終わりですね。あしたからまた授業が始まりますね。

　　留学生B：そうですね。きっと授業で、＿＿＿＿＿＿＿＿＿＿＿＿＿＿＿＿ [15]

　　　　　　聞かれるに違いありません。

　　留学生A：そうでしょうね。

3．学生A：Bさん、お昼ごはん、食べに行きませんか。

　　学生B：ええ。あ、でも、食堂はもう席がないかもしれませんね。

　　学生A：ああ、そうですね。＿＿＿＿＿＿＿＿＿＿＿＿＿＿＿に違いないですね。 [20]

　　学生B：じゃあ、もう少し後で行きましょうか。

　　学生A：そうですね。午後のクラスもないし、そうしましょう。

● 語彙 ●

| 席 | seat | 座位 | 자리 | [19] |
| せき | | | | |

接続表現①

① ところで
ス5 [15]

by the way；incidentally
順便说一句；可是
그런데

[例]　a．おひさしぶりです。お変わりありませんか。**ところで**、お子さんはおいく　[1]
　　　　　つになりましたか。

　　　b．きょうは、おもしろいお話をありがとうございました。**ところで**、このあ
　　　　　とお時間がありますか。お茶でもいかがでしょう。

ステップ❸ 聞こう

「日本人との付き合いで困ること」

タスク

大学のゼミ室で先生と学生たちが話しています。あなたもその一人です。

[1] 何について話していますか。よく聞いて、質問に答えましょう。

①渡辺さんの報告では、日本人のどのような言い方が分からないと外国人は思っていますか。

②井上さんはどのような言葉を例に出していますか。

③そのことばを日本人はどのようなときに使うと、井上さんは言っていますか。

④青木さんのびっくりした経験とは、どのようなことですか。

⑤青木さんは、外国人が日本人と親しくなりにくい理由は何だと言っていますか。

[2] 1）から15）の_____に言葉を書きましょう。

☞「聞き取り」の答え[240頁]

[3] a）～d）の~~~~の表現は、どのようなときに使うと便利だと思いますか。

a）なるほど　　　　　　　b）ほかには

c）～ではないんですけど　d）それは、～でも同じだと思います

聞き取り

先生：きょうは、外国人は日本人との付き合いで、どんなことに困っているか、日本人の人が調べてくることになっていましたね。どうでしたか。じゃあ、渡辺さんから。

渡辺：あ、はい。ぼく、今、英会話を習っているんで、そこの先生に聞いてみたんですけど、1)＿＿＿＿＿＿＿＿＿＿が分からないって言ってました。

先生：例えば、どんな？

渡辺：そうですねえ。例えば「2)＿＿＿＿＿＿＿＿＿＿」ってのが分からないって言っていました。何か頼んだときに「検討します」って言われて、待ってたんだけど、いつまで待っても返事がなかったそうです。

先生：そうですね。確かに。「検討します」って言うのは遠回しに断っている場合が多いですからね。あ、井上さん、何ですか。

井上：私も同じようなことを聞きました。3)＿＿＿＿＿＿＿＿＿＿、本当に言いたいことが伝わらないこともあるそうです。例えば「すみません」っていうことばをよく使いますよね。私たちは4)＿＿＿＿＿＿＿＿＿＿、何かを頼むときやお礼を言うときにも使うんですけど、それが分からなくて、日本人はいつも5)＿＿＿＿＿＿＿＿＿＿聞こえるそうです。

先生：あ、a) なるほど。6)＿＿＿＿＿＿＿＿＿＿は多いですよね。b) ほかには。じゃあ、青木さん。

青木：あのう、調べたこと c) ではないんですけど、留学生の友だちに「7)＿＿＿＿＿＿＿＿＿＿」って言ったら、「ありがとう、いつ行きましょうか」と言われてびっくりしたことがあります。

渡辺：あ、そうか。確かに 8)＿＿＿＿＿＿＿＿＿＿使っちゃうこともあるよね。相手が 9)＿＿＿＿＿＿＿＿＿＿けど、外国人にはそれは伝わりにくいと思います。それは、分からなくても 10)＿＿＿＿＿＿＿＿＿＿ですよね。

先生：確かに。それは、あいまいさの問題というより、11)＿＿＿＿＿＿＿＿＿＿だと言えるかもしれませんね。

井上：あ、あのう……。

先生：はい。井上さん。

井上：ちょっと思い出したんですけど、パーティーとかでアドレスを交換して、あとで連絡しても返事がなかったり、断られたりするので、どうやって日本人と友 [30]
だちになったらいいか分からないという人もいました。

青木：それはやっぱり、サークルとかで、12)＿＿＿＿＿＿仲よくなっていくから、d) それは、日本人でも同じだと思います。親しくなりにくいのは、一緒に何かを13)＿＿＿＿＿＿＿と思います。

渡辺：そうそう、いったん親しくなったら、14)＿＿＿＿＿＿んだけどね。 [35]

先生：15)＿＿＿＿＿＿、留学生のみなさんは今の話どう思いますか。

● 語彙 ●

*付き合い	association, company, contact	交往，接触	사귀다	[1]
検討(する)	examination, consideration (to examine, consider, discuss)	研讨，探讨，研究	검토(하다)	[8]
遠回し(な)	indirect, round about, euphemistic	间接(的)，委婉(的)，拐弯抹角(的)	돌려 말하는	[10]
伝わる	to be conveyed	传达，流传，传导	전달되다	[13]
**謝る	to apologize	道歉	사과하다	[16]
**思い出す	to remember, recall	想起，回忆起	생각나다	[29]
*交換(する)	exchange (to exchange)	交换	교환(하다)	[29]
場	place, space, occasion	场所，场合	자리, 경우	[34]
いったん～たら	once one does ～	一旦～	일단 ～하면	[35]
*ところで	by the way, incidentally	(转换话题时的用语) 可是	그런데	[36]

ステップ ❹ 話そう・書こう
「「また今度」の意味」
「日本語ならではの言葉」

目標 ■聞いたことが伝えられるようになる・意見(賛成・反対)が言えるようになる

会話 1

留学生たちが「また今度」の意味について話しています。＿＿＿のところに気をつけて聞きましょう。そして、a～gについて考えましょう。

☞「会話」のインフォーマル・スタイル例 [243頁]

キアラ：リンさん、日本の生活にもう慣れましたか。

> a. 話を始める
> Open the conversation
> 开始发言
> 이야기를 시작한다   [1]

リン：ええ、もう慣れました。
　　　でも、ときどきちょっと分からなくなることがあるんです。

> b. 話したいことを伝える
> Initiate conversation by introducing a topic
> 告诉别人自己想说的话
> 말하고 싶은 것을 전한다   [5]

キアラ：え、例えばどんなこと？

リン：そうですねえ。
　　　例えば、よく日本人の友だちに「また今度」って言われるんですけど、その意味がよく分からないんです。

> c. 具体的に説明する
> Explain in concrete terms
> 具体说明
> 구체적으로 설명한다

キアラ：ああ、そういうこと、よく聞きますね。ニックさんもマヤさんもそんなことを言っていました。私も始めのころは分かりませんでした。でも、今は「また今度」の「今度」は、言った人もいつか決められないっていう意味なんだと思うんです。

> d. cにコメントする
> Respond to c with a comment
> 对c进行评论
> c에 대한 코멘트를 한다 [10]

> e. dにコメントする
> Respond to d with a comment
> 对d进行评论
> d에 대한 코멘트를 한다 [15]

リン：ああ、そうなんですか。でも、はっきり言ってくれた方が親切ですよね。

> f. 意見を言う
> Express your opinion
> 表述意见
> 의견을 말한다

キアラ：ええ。でも、すぐにはっきりできないこともあるから、「また今度」って言うんだと思います。むしろ、関係を悪くしたくないから使うんでしょう。

> g. コメントして、話を終わらせる
> Close the conversation with a comment
> 评论并结束发言
> 코멘트를 하고 이야기를 끝낸다 [20]

リン：ああ、なるほど。
そう考えれば分かります。

会話 2

次のような言葉を聞いたことがありますか。これらは「日本語ならではの言葉」です。

[1] その言葉の意味がすぐ分かりましたか。考えてみましょう。

- 「よろしくお願いします」
- 「お世話になっています」
- 「おかげさまで」
- そのほか

[2] [1]で考えたことを会話1のように話しましょう。

- 話の最後に「よろしくお願いします」と言われること
  → これからもいい人間関係が続くようにという意味
- あいさつの始めに「お世話になっています」と言われること
  → 私はあなたといい関係でいたいという意味
- あいさつで「おかげさまで」と言われること
  → 自分の今の状況に感謝しているという意味

● 語彙 ●

N1ならではのN2	N2 unique to N1	N1独有的N2，N1独特有的N2	N1만의 N2, N1이 아니면 ~할 수 없는 N2
状況	situation, circumstance	情况	상황

座談会

次の中からテーマを決めて、司会を決めてから話し合いましょう。自分の立場（賛成か反対か）を決めて意見を言いましょう。

- 日本語はあいまいだと思うか
- 日本語の挨拶のルールは難しいと思うか
- 日本語で話しているときに、その人の気持ちがはっきり分からないと思ったことがあるか
- そのほか

スピーチ

座談会で話したことについて意見をまとめ、スピーチにしましょう。

[ポイント1] テーマは何か。

[ポイント2] 座談会ではどのような意見が出たか。

[ポイント3] その意見に、あなたは賛成か、反対か。その理由は何か。

作文

この課で勉強した文法や語彙を使って、スピーチの内容を「だ・である体」で書きましょう。タイトルも考えましょう。字数は400～600字です。

ステップ❺ 挑戦しよう
「水泳にまつわる話」

予習シート

読む前に

[1] あなたの健康法は何ですか。
[2] その健康法についての、何か特別な思い出がありますか。話してください。

読みながら

[1] この人は、どこで生まれましたか。
[2] この人の健康法は何ですか。
[3] この人の[2]の楽しみ方で、ほかの多くの人と違うのはどのような点ですか。
[4] [3]の例を挙げてください。
[5] この人は、日本に来る前、どのような日本語を知っていましたか。
[6] 日本に来てからの日本語の勉強はどうでしたか。
[7] この人は、どうして、ある日急に泳ぎたくなりましたか。季節はいつでしたか。
[8] どうしておばあさんは必死で追いかけてきましたか。
[9] この人はおばあさんに何を説明しようとしましたか。分かってもらえましたか。
[10] この人は、どのようにして日本に溶け込んでいきましたか。

読んだ後で

[1] 日本に来る前、あなたはどのような日本語を知っていましたか。
[2] 日本人にあなたの考えを説明しようとして、分かってもらえなかったことがありますか。どのようなときですか。

[3] これを書いたのは、アルフォンス・デーケン（1932年ドイツ生まれ。1959年神父として来日。哲学者。上智大学名誉教授）です。どのような人か、もっと調べてみましょう。

本文

フリガナなし

水泳にまつわる話 [1]

　私の生まれ故郷はオランダにほど近いドイツの北部なので、小さい時から近くの川や海で水に馴れ親しんだ。

　北海の水は、夏でもかなり冷たい。そこで長年鍛えたせいか、今でも水温は相当低くても平気である。 [5]

　むしろ、泳いだ後の爽快感は格別だと思う。

　数年前のサバティカル（特別研修休暇）には、シベリア経由でヨーロッパへ向かう途中、シベリア最大の湖バイカル湖の透明な冷たい水でたっぷり泳ぎを楽しんだ。

　8月の半ばだったが、他にはだれも泳ぐ人はいなかった。30分も泳いで岸に近づくと、ロシア人のガイドが、物好きな旅行者にあきれたように、待ちくたびれて首を [10] 振っていた。

　今も上智大学（東京・四谷）のプールで、毎朝の水泳を欠かさない。

　大学の構内に住んでいるから、冬でも起きぬけに30分くらい泳ぐ。その後、シャワーを浴びながら、大きな声で歌を歌う。これが私の健康法である。

　ところで、私は日本へ来るまで、日本語を2つの単語しか知らなかった。「サヨナ [15] ラ」と「フジヤマ」である。

　「フジヤマ」が間違いだと教えられた時には、自分の日本語の知識の50パーセントは誤りだったとわかって、本当にがっかりした。

　そんな状態で、はるばる横浜港に着いた。（中略）待ち受けていたのは、湘南にある日本語学校での厳しい特訓だった。 [20]

日本語の学習は全く難しかった。ようやく500の漢字を覚えたと思うころには、その中の200字は忘れていた。

毎日、漢字の洪水に溺れていた私は、ある日、猛然と泳ぎたくなった。3月半ばの鎌倉の海は人影もない。勇んで水泳パンツに着替えて、海へ入って行く私の後ろから、いきなり「自殺だあ」という大声が浴びせられた。

慌てて振り返ると、はるかな砂浜から一人のおばあさんが必死に追いかけてくる。

自殺などではない、ただ泳ぎたいだけだと説明しようとしても、たどたどしい私の日本語では、いきりたつおばあさんには、どうしてもわかってもらえない。

とうとう根負けした私は、おばあさんの監視の下に再び服を着て、すごすごと浜辺を立ち去らざるをえなかったのである。

関東ではまだ寒い3月に、冷たい海で泳ぐ人間がいるなどとは、おばあさんにとって、想像を絶することだったに違いない。（中略）

こうしたきまりの悪い体験を重ねる中で、私は東西の文化や習慣の違いを実感しながら、だんだんこの国に溶けこんできたようだ。

水泳にまつわる私のユーモラスな思い出の一つである。

（アルフォンス・デーケン『ユーモアは老いと死の妙薬』講談社、1995年）

フリガナつき

水泳にまつわる話

私の生まれ故郷はオランダにほど近いドイツの北部なので、小さい時から近くの川や海で水に馴れ親しんだ。

北海の水は、夏でもかなり冷たい。そこで長年鍛えたせいか、今でも水温は相当低くても平気である。

むしろ、泳いだ後の爽快感は格別だと思う。

数年前のサバティカル（特別研修休暇）には、シベリア経由でヨーロッパへ向かう途中、シベリア最大の湖バイカル湖の透明な冷たい水でたっぷり泳ぎを楽しんだ。

8月の半ばだったが、他にはだれも泳ぐ人はいなかった。30分も泳いで岸に近づくと、ロシア人のガイドが、物好きな旅行者にあきれたように、待ちくたびれて首を

振っていた。

　今も上智大学（東京・四谷）のプールで、毎朝の水泳を欠かさない。

　大学の構内に住んでいるから、冬でも起きぬけに30分くらい泳ぐ。その後、シャワーを浴びながら、大きな声で歌を歌う。これが私の健康法である。

　ところで、私は日本へ来るまで、日本語を２つの単語しか知らなかった。「サヨナラ」と「フジヤマ」である。

　「フジヤマ」が間違いだと教えられた時には、自分の日本語の知識の50パーセントは誤りだったとわかって、本当にがっかりした。

　そんな状態で、はるばる横浜港に着いた。（中略）待ち受けていたのは、湘南にある日本語学校での厳しい特訓だった。

　日本語の学習は全く難しかった。ようやく500の漢字を覚えたと思うころには、その中の200字は忘れていた。

　毎日、漢字の洪水に溺れていた私は、ある日、猛然と泳ぎたくなった。３月半ばの鎌倉の海は人影もない。勇んで水泳パンツに着替えて、海へ入って行く私の後ろから、いきなり「自殺だあ」という大声が浴びせられた。

　慌てて振り返ると、はるかな砂浜から一人のおばあさんが必死に追いかけてくる。

　自殺などではない、ただ泳ぎたいだけだと説明しようとしても、たどたどしい私の日本語では、いきりたつおばあさんには、どうしてもわかってもらえない。

　とうとう根負けした私は、おばあさんの監視の下に再び服を着て、すごすごと浜辺を立ち去らざるをえなかったのである。

　関東ではまだ寒い３月に、冷たい海で泳ぐ人間がいるなどとは、おばあさんにとって、想像を絶することだったに違いない。（中略）

　こうしたきまりの悪い体験を重ねる中で、私は東西の文化や習慣の違いを実感しながら、だんだんこの国に溶けこんできたようだ。

　水泳にまつわる私のユーモラスな思い出の一つである。

（アルフォンス・デーケン『ユーモアは老いと死の妙薬』講談社、1995年）

● 語彙 ●

**水泳 すいえい	swimming	游泳	수영	[1]
生まれ故郷 う こきょう	birthplace, one's hometown	出生地，故乡	태어난 고향	[2]
ほど近い ちか	nearby, close by	不太远的，比较近的	별로 떨어지지 않은, 가까운	[2]
*北部 ほくぶ	north, northern area	北部	북부	[2]
馴れ親しむ な した	to become familiar with	变得熟悉、亲近	친숙하다, 익숙하다	[3]
北海 ほっかい	North Sea	北海(位于大西洋东北部, 英国和欧洲大陆间的海)	북해	[4]
鍛える きた	to train, educate	锻炼	단련하다	[4]
水温 すいおん	water temperature	水温	수온	[4]
相当 そうとう	fairly, considerably	相当地	상당히	[4]
*平気(な) へいき	calm, cool, unconcerned	冷静(的)，镇静(的), 不在乎(的)	끄떡없는	[4]
爽快感 そうかいかん	refreshing feeling	爽快、清爽的感觉	상쾌함	[5]
格別(な) かくべつ	specially, particular, exceptional	特别(的)，例外(的)	각별(한)	[6]
サバティカル	sabbatical	(教师的)休假学年, 休假学期	안식년	[6]
研修休暇 けんしゅうきゅうか	leave for research	离岗进修	연수 휴가	[7]
−経由 けいゆ	via 〜, en route	经由〜	〜경유	[7]
**向かう む	to head, leave for	前往	향하다	[7]
**途中 とちゅう	on the way	途中	도중에, 중간에	[7]
シベリア	Siberia	西伯利亚	시베리아	[8]
*最大 さいだい	the biggest, largest	最大	최대	[8]
*湖 みずうみ	lake	湖	호수	[8]
バイカル湖 こ	Lake Baikal	贝加尔湖	바이칼 호수	[8]
透明(な) とうめい	transparent, clear	透明(的)	투명(한)	[8]
*たっぷり	sufficiently, amply, plenty	满满的，充足的	듬뿍, 가득	[8]

*泳ぎ およ	swimming	游泳	헤엄치다	[8]
半ば なか	in the middle	中间(部分)，当中	중간, 중반	[9]
*岸 きし	bank, coast, shore	岸	물가, 해안	[9]
*近づく ちか	to approach, come closer	接近，靠近	가까이 가다, 다가가다	[9]
ガイド	guide	向导，指导	가이드	[10]
物好き(な) ものず	curious person, whimsical person	好奇，好事(者)	색다른 것을 좋아하는 사람, 호기심 많은 사람	[10]
旅行者 りょこうしゃ	traveller	旅行者	여행자	[10]
あきれる	to amaze, surprise, disgust	吃惊，呆若木鸡	질리다, 싫증내다	[10]
待ちくたびれる ま	to get tired of waiting	等得厌倦， 等得感到疲劳	기다리다 지치다	[10]
*首を振る くび ふ	to shake one's head	摇头	고개를 젓다	[10]
上智大学 じょうちだいがく	Sophia University	上智大学	조치 대학 (일본의 대학명)	[12]
四谷 よつや	Yotsuya (a district in Tokyo)	四谷 (东京的一个地区)	요쓰야 (도쿄의 한 지명)	[12]
欠かさない か	never miss	不缺少，不错过	빼놓을 수 없다	[12]
構内 こうない	on campus	场内， 建筑设施的围墙之内	구내	[13]
起きぬけ お	as soon as one gets up	刚起床	잠자리에서 막 일어남, 기상 직후	[13]
*健康法 けんこうほう	how to stay healthy	健康养生法	건강법	[14]
知識 ちしき	knowledge	知识	지식	[17]
誤り あやま	error, mistake	错误	잘못, 틀림, 실수	[17]
*がっかりする	to get disappointed	失望	실망하다	[18]
はるばる	all the way	远道而来，远行	멀리	[19]
－港 こう	port of ～	～港	～항	[19]
待ち受ける ま う	to wait, await, lie ahead	等待，做好准备等候	기다리다	[19]
湘南 しょうなん	Shonan area (a place in Kanagawa prefecture)	湘南(神奈川县的一部分地区)	쇼난(가나가와현의 한 지명, 바닷가)	[19]

特訓(特別訓練) とっくん とくべつくんれん	special training	特别训练	특훈(특별 훈련)	[20]
*学習(する) がくしゅう	learning (to learn, study)	学习	학습(하다)	[21]
ようやく	al last, finally	终于	드디어, 마침내	[21]
*洪水 こうずい	flood	洪水	홍수	[23]
溺れる おぼ	to drown	溺水, 沉溺	빠지다	[23]
猛然と もうぜん	fiercely, ferociously, violently	猛然, 势头猛烈地	맹렬한 기세로	[23]
鎌倉 かまくら	Kamakura (a place in Kanagawa prefecture)	镰仓(神奈川县的一个 地区)	가마쿠라(가나가와 현의 한 지명)	[24]
人影 ひとかげ	figure	人影	인적	[24]
勇んで いさ	in high spirits, in the best of spirits	精神抖擞地	용기내어, 기운차게	[24]
水泳パンツ すいえい	bathing wear	泳裤	수영복	[24]
*いきなり	suddenly, abruptly	突然, 冷不防	갑자기	[25]
*自殺(する) じさつ	suicide (to commit suicide)	自杀	자살(하다)	[25]
浴びせる あ	to throw, pour, shower	浇, 泼, (集中, 激烈地) 责问, 施加	끼얹다, 퍼붓다	[25]
慌てる あわ	to panic, be confused	惊慌, 匆匆忙忙	당황하다	[26]
振り返る ふ かえ	to look back	回头看	돌아보다	[26]
はるか(な)	far, distant	遥远(的)	멀리	[26]
砂浜 すなはま	sandy beach	海滨沙滩	모래 사장	[26]
必死(な) ひっし	desperate	拼命(的)	필사적(인)	[26]
追いかける お	to chase, pursue, go after	追赶	쫓아오다	[26]
たどたどしい	halting, clumsy	语言不流利	어설프다, 더듬거리다	[27]
いきりたつ	to get angry, be furious	愤怒, 激昂, 怒不可遏	격앙하다, 격분하다	[28]
**とうとう	finally, after all	终究, 到头	마침내	[29]
根負けする こんま	to lose patience	坚持不下去, 毅力不足	끈기에 부치다, 지다	[29]

監視(する)	watch, surveillance, guard (to guard)	监视	감시(하다)	[29]
再び	again	再，又，重	다시	[29]
すごすごと	dejectedly, disappointedly	垂头丧气地，沮丧地	풀이 죽어서, 맥없이	[29]
浜辺	beach, seashore	湖滨，海滨	바닷가, 해변	[29]
立ち去る	to leave, depart	走开，离开	떠나가다	[30]
関東	Kanto Area	关东(日本以东京为中心，包括附近六县的地区)	간토 지방(도쿄를 포함한 지역명)	[31]
想像を絶する	beyond imagination	超乎想象	상상을 초월하다	[32]
きまりの悪い	awkward, embarrassed	羞耻，不体面	쑥스럽다, 겸연쩍다	[33]
*重ねる	to pile, stack	堆起来，追加，反复	겹치다, 더하다	[33]
東西	East and West	东西方	동서	[33]
実感(する)	realization (to realize)	体验，真切体会到	실감(하다)	[33]
溶けこむ	to melt, merge, adapt oneself to	溶化，融合，融为一体	녹아들다	[34]
ユーモラス(な)	humorous, funny	幽默(的)	유머러스(한)	[35]
*思い出	memory, recollection, reminiscence	回忆，回想起以前的事	추억	[35]

第6課

居場所を見つける

■ステップ❶ 読もう
「本音が聞きたい」
■予習シート　■本文

■ステップ❷ 整理しよう
文法と表現
■この課の文法と表現　■新しい文法 1〜 5　■便利な表現①

■ステップ❸ 聞こう
「外国での生活」
■タスク　■聞き取り

■ステップ❹ 話そう・書こう
「日本の経験から学んだこと」
「異文化での暮らし」
■目標　■経験から学んだことをまとめられる・報告できるようになる
■会話1　■会話2　■座談会　■スピーチ　■作文

■ステップ❺ 挑戦しよう
「部屋から部屋へ」
■予習シート　■本文

ステップ❶ 読もう
「本音が聞きたい」

予習シート

読む前に

[1] あなたは、日本人の友だちについて、がっかりしたり、いらいらしたりしたことがありますか。

[2] それはどのようなときでしたか。

読みながら

[1] ニックさんはどのくらい日本にいますか。

[2] ニックさんは、どのようなときに、がっかりしたり、いらいらしたりしましたか。

[3] ニックさんは、最近どのように考えが変わりましたか。

[4] どのような経験から、[3] のように考えるようになりましたか。

[5] ニックさんは、何をきっかけに、日本人と仲良くなりましたか。

[6] [5] では、どのような経験をしましたか。

[7] [5] では、ニックさんや日本人の学生にどのような変化がありましたか。

[8] [7] の後で、ニックさんと日本人の友だちの関係はどのように変わりましたか。

読んだ後で

[1] あなたは、留学する前と今とで、日本人の友だちとの関係は変わりましたか。

[2] 変わったとしたら、どのように変わりましたか。話してください。

本文

フリガナなし

本音が聞きたい　　　　　　　　　　　　　　　　　ニック・ヤング

「本当の日本が見たい！」と思って留学してからもうすぐ一年が経つ。日本人は本音を言わないと聞いていたけれど、女の子とのデートで「どこの店に行こうか」とか、チューターとの会話で「ぼくの国はこうなんだけど、どうして日本はそうなのかなあ」など、本音を聞こうと思って話しかけてはがっかりすることが多かった。賛成とも反対ともつかない返事にいらいらするという、数えきれないほどの経験も重ねた。

でも最近は、日本人の場合、何かを一緒に作ったり、考えたりする経験を一緒にして初めて、本音が聞けるのではないかと思うようになった。たとえば、剣道のサークルだ。ぼくがサークルに入る前は、あんまり日常的な無駄話を日本人とすることはなかったが、サークルで日本人の学生と一緒に練習をしたり、練習の後にご飯を食べに行ったり、合宿をしたりする間に、彼らが率直に話してくれるようになったと思う。

今思うと、日本人の友だちと仲よくなったきっかけは、夏の合宿だったような気がする。合宿は、きつい練習、ご飯、お風呂、寝るだけの非常にシンプルで厳しい生活を何日も過ごさなくてはならない。厳しい練習を続けていると二日目か三日目には体が痛くなって、疲れもたまる。でも、そんな中で他愛のない話をして、なんとかつらい時間を楽しく変えようとしていると、お互いの個性が見えてきたのだ。合宿を乗り越えた後、ぼくと日本人だけでなく、日本人同士も仲よくなった気がする。

他愛のない話ができるようになる関係ができると、ぼくが「ぼくの国はこうなんだけど、どうして日本はそうなのかなあ」と聞いても、率直に彼らなりの考えを教えてくれるようになった。それに、その頃から、日本人の友だちの部屋に遊びに行ったり、自分の部屋に呼んだりする機会ができたようにも思う。

ちょっと時間はかかったけれど、本音が言い合える関係になれた。ぼくの日本人の本音を探る旅は、今始まったばかりだ。

（ニックの作文）

本音が聞きたい　　　　　　　　　　　　　　　　　ニック・ヤング

「本当の日本が見たい！」と思って留学してからもうすぐ一年が経つ。日本人は本音を言わないと聞いていたけれど、女の子とのデートで「どこの店に行こうか」とか、チューターとの会話で「ぼくの国はこうなんだけど、どうして日本はそうなのかなあ」など、本音を聞こうと思って話しかけてはがっかりすることが多かった。賛成とも反対ともつかない返事にいらいらするという、数えきれないほどの経験も重ねた。

　でも最近は、日本人の場合、何かを一緒に作ったり、考えたりする経験を一緒にして初めて、本音が聞けるのではないかと思うようになった。たとえば、剣道のサークルだ。ぼくがサークルに入る前は、あんまり日常的な無駄話を日本人とすることはなかったが、サークルで日本人の学生と一緒に練習をしたり、練習の後にご飯を食べに行ったり、合宿をしたりする間に、彼らが率直に話してくれるようになったと思う。

　今思うと、日本人の友だちと仲よくなったきっかけは、夏の合宿だったような気がする。合宿は、きつい練習、ご飯、お風呂、寝るだけの非常にシンプルで厳しい生活を何日も過ごさなくてはならない。厳しい練習を続けていると二日目か三日目には体が痛くなって、疲れもたまる。でも、そんな中で他愛のない話をして、なんとかつらい時間を楽しく変えようとしていると、お互いの個性が見えてきたのだ。合宿を乗り越えた後、ぼくと日本人だけでなく、日本人同士も仲よくなった気がする。

　他愛のない話ができるようになる関係ができると、ぼくが「ぼくの国はこうなんだけど、どうして日本はそうなのかなあ」と聞いても、率直に彼らなりの考えを教えてくれるようになった。それに、その頃から、日本人の友だちの部屋に遊びに行ったり、自分の部屋に呼んだりする機会ができたようにも思う。

　ちょっと時間はかかったけれど、本音が言い合える関係になれた。ぼくの日本人の本音を探る旅は、今始まったばかりだ。

（ニックの作文）

●語彙●

いらいら(する)	annoyance, irritation (to get irritated)	烦躁，易怒	짜증내다	[6]
数えきる かぞ	to count thoroughly	全部数尽	모두 헤아리다	[6]
**最近 さいきん	lately, recently	不久前	최근，요즘	[7]
剣道 けんどう	kendo (Japanese) fencing	剑道	검도	[8]
日常的(な) にちじょうてき	everyday, ordinary	日常的，普通的	일상적(인)	[9]
*無駄話 むだばなし	idle talk, chat	闲扯，杂谈	잡담	[9]
合宿(する) がっしゅく	training camp (to go on a training camp)	集训，一个集体为达到某个共同目的而共同生活、共同努力	함숙(하다)	[11]
きつい	stern, rigorous, harsh	紧迫，紧张	심하다，고되다	[14]
非常に ひじょう	very	非常	상당히，꽤	[14]
シンプル(な)	simple, plain	简易的，质朴的	심플(한)	[14]
*過ごす す	to spend, pass	度过	지내다	[15]
疲れ つか	fatigue, tiredness	疲劳	피로，피곤	[16]
たまる	to gather, build up	积存	쌓이다	[16]
他愛のない たあい	silly, trivial	拉拉杂杂的，抓不住要点的	쓰잘데없는	[16]
つらい	hard, difficult	艰辛的，痛苦的	괴롭다，힘들다	[16]
個性 こせい	personality, individual character	个性	개성	[17]
乗り越える の こ	to get through, survive	越过，克服	뛰어넘다，극복하다	[17]
－同士 どうし	fellow ～	（表示彼此有相同的关系）	～동지	[18]
～なりの	in one's own way	作为～的立场的，与～相应的	～나름(대로)의	[20]
言い合う い あ	to talk to each other	互相说	서로 말하다	[23]
探る さぐ	to search	探究，探寻	찾다	[24]
旅 たび	travel, journey	旅行，旅程	여행	[24]

ステップ❷ 整理しよう
文法と表現

この課の文法と表現

● 復習文法

初級で勉強した文法をチェックしましょう。忘れていたら、復習しましょう。

☞ **復習文法** [237頁]

① S(plain)間(に)S2　　　　　　　　　　　　　　　　　　ス1 [11]　ス5 [2]

● 新しい文法

1. V1-てはV2　　　　　　　　　　　　　　　　　　　　ス1 [5]　ス5 [6]

2. S(plain non-past)ほど $\begin{cases} のN \\ \sim \end{cases}$　　　　　　　　　　　ス1 [6]　ス5 [8, 29]

3. V-て初めて　　　　　　　　　　　　　　　　　　　ス1 [8]　ス5 [13]

4. V-るとS(past)　　　　　　　　　　　　　　　　　　ス1 [17]　ス5 [29]

5. V-たばかりだ　　　　　　　　　　　　　　　　　　ス1 [24]　ス5 [23]

● 便利な表現

◇ 〜とも〜ともつかない　　　　　　　　　　　　　　ス1 [5]　ス5 [27]

新しい文法 1～5

1　V1-てはV2

> This means someone does the sequence of V1 and V2 repeatedly.
>
> 该句型表示某人接连并重复做出动作V1和V2。
>
> 이 표현은 누군가가 V1과 V2를 연속해서 여러 번 반복하는 것을 의미합니다.

［例］　a．作文は、**書いては消し、書いては消し**のくりかえしで、まだできていない。

　　　b．外国語の勉強は難しい。**覚えては忘れてしまう**ので、なかなか上手にならない。

　　　c．本音を聞こうと思って**話しかけてはがっかりする**ことが多かった。

［練習1］

1．その学生は、レポートを少し書いては_____ので、まだできていない。

2．アパートのとなりの部屋は、新しい人が入っては_____ので、なかなか親しくなれない。

3．_____。

［練習2］

1．A：たくさん雪が降りましたね。子どもたち、楽しそうですね。

　　B：ええ、さっきから雪だるまを作っては_____、遊んでいます。

　　A：子どものころ、私もよくしました。楽しかったです。

2．A：お正月はどうでしたか。

　　B：どこへも行きませんでした。毎日、_____ては_____という生活でした。

　　A：ああ、そうですか。

3. A：また太っちゃった。

　　B：そう。

　　A：甘いものが好きだから、＿＿＿＿＿＿＿＿ては＿＿＿＿＿＿＿＿ので、[20]
　　　　やせられないの。

　　B：ああ、私もそうかな。

● 語彙 ●

| くりかえし | repetition | 重复 | 반복 | [1] |
| 雪だるま | snow man | 雪人 | 눈사람 | [12] |

2 S(plain non-past)ほど { のN / ～ }　　ス1 [6]　ス5 [8, 29]

N which is to the extent of S；to the extent of S
达到S那样程度的N；～到S那样的程度
V-(으)ㄹ 정도의 N；V-(으)ㄹ 만큼

> ほど means a degree or an extent of something. This pattern is often used as an exaggeration. Examples are 驚くほどの効果 'a stunning result' and ことばにならないほどのできごと 'an event beyond words,' both of which express the speaker's intention to emphasize the degree of the situation.
>
> 「ほど」表示某种程度。该句型常用于夸张地表达某个情况。例如「驚くほどの効果」(令人吃惊的效果)、「ことばにならないほどのできごと」(难以言表的事情)等，分别是说话人强调某物的效果和某件事情达到的程度。
>
> 'ほど'는 정도를 나타내는 말입니다. 이 문형은 주로 어떤 상황을 과장해서 말할 때 사용합니다. 예를 들어 '驚くほどの効果(놀랄 정도의 효과)'나 'ことばにならないほどのできごと(말로 할 수 없을 정도의 사건)'가 있는데, 모두 말하는 이가 어떤 효과의 정도나 어떤 사건의 정도를 강조하여 표현하고 있습니다.

[例]　a．この留学は、一言で言えないほどのいい経験だった。　[1]

　　　b．きのうのシンポジウムには驚くほどたくさん人が来て、ニュースにもなった。

　　　　c．賛成とも反対ともつかない返事にいらいらするという、数えきれないほどの経験も重ねた。

［練習1］

1. ＿＿＿＿＿＿＿＿＿＿＿＿＿＿＿＿＿＿＿＿＿＿ほどの人々がそのコンサートに来た。
2. それは、言葉で言えないほど(の)＿＿＿＿＿＿＿＿＿＿＿＿＿＿＿＿＿＿＿。
3. ＿＿＿＿＿＿＿＿＿＿＿＿＿＿＿＿＿＿＿＿＿＿＿＿＿＿＿＿＿＿＿＿＿＿。

［練習2］

1. A：日本語の勉強はどうでしたか。
　　B：大変でした。毎日＿＿＿＿＿＿＿＿＿＿＿＿ほど(の)宿題がありました。
　　A：それは……。でも、よくがんばりましたね。

2. A：この間見た映画、おもしろかったですよ。
　　B：そうですか。どんな話だったんですか。
　　A：ううん、一言では言えないほど(の)＿＿＿＿＿＿＿＿＿＿＿＿＿＿＿＿。
　　B：そうですか。私も見てみようかな。

3. A：もうすぐ国に帰るそうですね。
　　B：ええ、留学中は楽しかったです。＿＿＿＿＿＿＿＿＿＿＿＿＿＿ほど(の)
　　＿＿＿＿＿＿＿＿＿＿＿＿＿＿＿＿＿＿＿。
　　A：そうですか。よかったですね。

3　**V-て初めて**

not until V；only after V；for the first time after V
V后才(第一次)
V-고 나서야 처음으로

> This pattern expresses that someone is able to do something, or something happens only after what is expressed by V is realized or done. It is what is expressed by the V which triggered the event or situation that follows.
>
> 该句型表示直到V所表示的动作完成后，后续的事件方才实现。后续事件的实现以V所表示的动作为契机。
>
> 이 표현은 V가 나타내는 동작이 완료된 후에 그 다음에 나오는 사건이 실현된다는 것을 나타냅니다. 나중에 오는 사건의 실현에는 V가 나타내는 동작이 계기가 되었다는 것을 뜻합니다.

[例]　a．サークルに入って、初めて日本人と親しくなった。

　　　b．自分で働いて、初めてお金の大切さが分かった。

　　　c．何かを一緒に作ったり、考えたりする経験を一緒にして、初めて本音が聞けるのではないかと思うようになった。

[練習１]

1．日本で生活して、初めて＿＿＿＿＿＿＿＿＿＿＿＿＿＿＿＿＿＿＿＿＿＿＿＿。

2．＿＿＿＿＿＿＿＿＿＿＿＿＿＿＿て/で、初めて日本語のおもしろさが分かった。

3．＿＿＿＿＿＿＿＿＿＿＿＿＿＿＿＿＿＿＿＿＿＿＿＿＿＿＿＿＿＿＿＿＿。

[練習２]

1．Ａ：日本の生活は自分の国の生活とぜんぜん違いますよね。

　　Ｂ：そうですね。私は、日本に留学して、初めて＿＿＿＿＿＿＿＿＿＿＿＿＿。

　　Ａ：私もです。

2．日本人Ａ：ひとり暮らしはどうですか。

　　留学生Ｂ：＿＿＿＿＿＿＿＿＿＿て/で、初めて家族の大切さが分かりました。

　　日本人Ａ：そうでしょうね。

3．Ａ：働くって大変ですね。

　　Ｂ：ええ。私も＿＿＿＿＿＿＿＿＿＿て/で、初めて＿＿＿＿＿＿＿＿＿＿分かりました。

　　Ａ：そうですね。

４　V-るとS(past)　　　　　　　　　ス１[17]　ス５[29]

when one does something, something else happens as a consequence
实施动作V后出现了结果S
V-(았/었)더니 S ; V-(으)니까 S

This pattern describes some action indicated by V and its natural or immediate consequence such as 窓を開けると海が見えました 'when I opened the windows, I could see the ocean.' and 映画が始まると、静かになりました 'When the movie started, everyone immediately became quiet.' or unexpected consequence such as 家に帰ると、友だちが待っていました 'when I got home, to my surprise, a friend of mine was waiting for me.' と can be replaced with たら. Note that this is different from a similar pattern V(non-past)とS(non-past) (☞Chapter3, Grammar Review②) which expresses a natural cause-effect relation between events.

> 该句型表示以动作V为契机，事态S得到了实现。例如「窓を開けると海が見えました」(打开窗户，便看到了大海)，「映画が始まると、静かになりました」(电影开始后，就静了下来)。发生的事件不在意料之内时，也可使用该句型，如「家に帰ると、友だちが待っていました」(我回到家时，朋友正等着我)。「と」可以替换成「たら」。该句型与表示自然前提与结果的句型「V(non-past)とS(non-past)（☞第3课，复习语法②）」不同。
>
> 이 표현은 V가 나타내는 동작이 계기가 되어 S가 나타내는 사태가 실현되었다는 것을 나타냅니다. 예로는 '窓を開けると海が見えました(문을 열었더니 바다가 보였습니다)', '映画が始まると、静かになりました(영화가 시작하니까 조용해졌습니다)' 등이 있습니다. 예기치 않은 사건이 있는 경우의 '家に帰ると、友だちが待っていました(집에 갔더니 친구가 기다리고 있었습니다)'도 마찬가지입니다. 'と'는 'たら'로 바꿔 쓸 수 있습니다. 자연적인 전제와 귀결을 나타내는 표현인 'V(non-past)とS(non-past)（☞제3과, 복습 문법②）'와는 다릅니다.

[例]　a．窓を開けると、きれいな山が見えた。

　　　b．きのう家に帰ると、友だちが待っていた。

　　　c．なんとかつらい時間を楽しく変えようとしていると、お互いの個性が見えてきた。

[練習1]

1．日本人の友だちに漢字の読み方を聞くと、＿＿＿＿＿＿＿＿＿＿＿＿＿＿＿＿＿＿。

2．＿＿＿＿＿＿＿＿＿＿＿＿＿＿＿＿＿＿と、誕生日のプレゼントがあった。

3．＿＿＿＿＿＿＿＿＿＿＿＿＿＿＿＿＿＿＿＿＿＿＿＿＿＿＿＿＿＿＿＿＿＿＿。

[練習2]

1．A：うれしそうですね。どうしたんですか。

　　B：きのう家に帰ると、＿＿＿＿＿＿＿＿＿＿＿＿＿＿＿＿＿＿＿＿＿＿＿。

　　A：そうでしたか。よかったですね。

2．日本人A：けさ、急いでいましたね。試験に間に合いましたか。

　　留学生B：走って行ったんですけど、＿＿＿＿＿＿＿＿＿＿＿＿と、試験は始まっていました。

　　日本人A：大変でしたね。

3．A：きのう＿＿＿＿＿＿＿＿＿＿＿＿＿＿と、＿＿＿＿＿＿＿＿＿＿＿＿＿＿。

　　B：そうですか。おどろいたでしょうね。

　　A：ええ、びっくりしました。

5 V-たばかりだ   ス1 [24] ス5 [23]

have just done ～ ; just did ～
刚V(不久)
V-(으)ㄴ 지 얼마 안 되다 ; 막 V

V-たばかりだ expresses that something has just happened and often implies that the speaker considers that there is hardly any time elapsed since the time of the reference event expressed by V, such as いま帰ったばかりです 'I just got home (so haven't done anything since)', その漢字は習ったばかりです 'I have just learned that kanji (so I have not memorized it yet)'. V-たところだ (☞Chapter1, New Grammar 4) literally expresses the exact moment right after some event. In contrast, V-たばかりだ expresses that the speaker feels that the time elapsed is short. So it is possible to say 一年前に留学から帰ったばかりです 'I just returned from studying abroad a year ago', but not *一年前に留学から帰ったところです.

表示处于某个动作行为发生或实现后的状态，通常意味着说话人主观上认为动作V完成后经过的时间非常短。例如「いま帰ったばかりです」(这会儿刚回来不久)、「その漢字は習ったばかりです」(这个汉字刚学不久)。「V-たところだ」(☞第1课，新语法 4)也表示某个动作行为结束后的场面，但是仅停留在这个字面意思上。与此相对，如果说话人主观认为动作行为结束后经过的时间很短，那么就可以说「一年前に留学から帰ったばかりです」(一年前刚留学回来)。说成「*一年前に留学から帰ったところです」就不自然了。

'V-たばかりだ'는 무슨 일이 일어난(실현된) 직후라는 것을 나타내는데, 대부분의 경우 V가 나타내는 동작의 완료에서 그다지 시간이 지나지 않았다고 말하는 이가 주관적으로 판단한 것을 뜻합니다. 'いま帰ったばかりです(지금 막 돌아왔습니다)', 'その漢字は習ったばかりです(그 한자는 배운지 얼마 안 됩니다)' 등이 그 예입니다. 'V-たところだ' (☞제1과, 새로운 문법 4)도 무슨 일이 끝난 직후를 나타내지만, 이 경우는 문자 그대로의 뜻을 가집니다. 그에 비해 'V-たばかりだ'는 말하는 이가 주관적으로 짧은 시간이라고 판단한다면 '一年前に留学から帰ったばかりです(유학에서 돌아온 지 1년밖에 안 지났습니다)'라고 말할 수도 있습니다. '*一年前に留学から帰ったところです'는 부자연스럽습니다.

[例]　a．そのニュースはさっき**聞いたばかり**で、まだくわしいことが分からない。　[1]

　　　b．日本に**来たばかり**のころは、右も左も分からなかった。

　　　c．ぼくの日本人の本音を探る旅は、今**始まったばかりだ**。

[練習1]

1．その仕事は、きのう始めたばかりなので、＿＿＿＿＿＿＿＿＿＿＿＿＿＿＿＿＿。　[5]

2．私は＿＿＿＿＿＿＿＿＿＿＿＿＿＿＿ばかりで、まだ日本人の友だちがいません。

3．＿＿＿＿＿＿＿＿＿＿＿＿＿＿＿＿＿＿＿＿＿＿＿＿＿＿＿＿＿＿＿＿＿＿。

[練習2]

1. A：あのレストランに入ったことある？

    B：ううん。この間できたばかりだから、＿＿＿＿＿＿＿＿＿＿＿＿＿＿＿＿＿。 [10]

    A：じゃあ、今度、一緒に行く？

2. （電話で）

    母：奨学金、どうなった？

    むすこ：ああ、先週、書類を＿＿＿＿＿＿＿＿ばかりで、まだ結果が分からない。

    母：そうなの。もらえるといいわね。 [15]

    むすこ：うん。

3. 先生：日本語の勉強、終わりましたね。どうでしたか。

    留学生：＿＿＿＿＿＿＿＿＿＿＿ばかりのころは＿＿＿＿＿＿＿＿＿＿＿が、

    　　　　今は＿＿＿＿＿＿＿＿＿＿＿＿＿＿。

    先生：そうですか。これからもがんばってくださいね。 [20]

● 語彙 ●

| 書類 | papers, documents | 文档，文件 | 서류 | [14] |

便利な表現①

① ～とも～ともつかない　　　　　　　　　　　　　　　ス1 [5]　ス5 [27]

one cannot tell whether it is A, B or anything ; one cannot tell the identity of something
既不能说是A，也不能说是B
A라고도 B라고도 할 수 없다

[例]　a．このノートには英語ともフランス語ともつかない言葉が書いてある。 [1]

　　　b．ＹＥＳともＮＯともつかないあいまいな返事は困る。

ステップ❸ 聞こう
「外国での生活」

タスク

テレビの情報番組を見ています。

[1] 何について話していますか。よく聞いて、質問に答えましょう。

①高橋さんのアメリカでの苦労の中で、一番印象に残っているのは、いつのことですか。

②それは、どのような経験ですか。

③一つ目の部屋は、どのような部屋でしたか。その部屋が好きでしたか。それは、どうしてですか。

④二つ目の部屋は、どのような部屋でしたか。その部屋が好きでしたか。それは、どうしてですか。

⑤三つ目の部屋は、どのような部屋でしたか。その部屋が好きでしたか。それは、どうしてですか。

[2] 1）から15）の＿＿＿＿に言葉を書きましょう。

☞「聞き取り」の答え [240頁]

[3] a）〜c）の～～～の表現は、どのようなときに使うと便利だと思いますか。

a) それは……。

b) それは、そうでしょうね。

c) やっと

聞き取り

キャスター：外国での生活には、いろいろな難しさが伴います。特にその国の社会 [1]
の一員として1)＿＿＿＿＿＿＿＿＿には、いろいろ問題があると思います。
きょうは、長い間アメリカで文学を研究なさっている高橋真琴さんにおいで
いただき、アメリカ生活でのいろいろなご経験を2)＿＿＿＿＿＿＿＿＿と思
います。高橋さん、よろしくお願いいたします。 [5]

高橋：よろしくお願いいたします。

キャスター：アメリカ生活で一番ご苦労なさったことはどんなことでしょうか。

高橋：そうですね。やっぱり一番印象に残っているのは、3)＿＿＿＿＿＿＿＿＿
初めて行ったときのことですね。

キャスター：そうですか。 [10]

高橋：留学する前に大学院生の寮に入ることを希望したんですが、大学のキャンパス
に4)＿＿＿＿＿＿＿＿＿寮に入れないことが分かりました。5)＿＿＿＿＿
＿＿＿＿＿、泊まるところがありませんでした。どうしたらいいか6)＿＿＿
＿＿＿＿＿＿＿、親切にも、事務の人が部屋を7)＿＿＿＿＿＿＿＿＿。

キャスター：それはよかったですね。 [15]

高橋：でも、行ってみると、窓がない部屋だったんです。8)＿＿＿＿＿＿＿＿＿
せいか、部屋の壁は一面、9)＿＿＿＿＿＿＿＿＿黄色だったんです。家具
もないし、窓もない、黄色い壁の部屋でした。

キャスター：a) それは……。

高橋：そこにいると憂鬱になるので、なるべく10)＿＿＿＿＿＿＿＿＿＿＿。朝早く [20]
11)＿＿＿＿＿＿＿＿＿という生活でした。そのうち、大学から、寮の部屋
が空いたので、すぐに移るようにと連絡がありました。

キャスター：それはよかったですね。

高橋：ええ、でも、今度は二人部屋でした。ルームメイトはとてもまじめな留学生
で、一日中、勉強しているんです。夜、目を覚ますと、夜中も勉強しています。 [25]
私は、自由に音楽を聞くことも、友だちを呼ぶこともできないし、ゆっくり寝

ることもできません。12)＿＿＿＿＿＿＿＿＿＿＿＿＿とも 13)＿＿＿＿＿＿＿＿＿＿＿＿＿

ともつかない場所で、ストレスがたまりました。

キャスター：b) それは、そうでしょうね。

高橋：そんな生活が1学期続いて、c) やっと一人部屋が空いたという連絡があり、[30]
喜んで移りました。

キャスター：そうですか。

高橋：ええ、一人の世界が持てて、とても 14)＿＿＿＿＿＿＿＿＿＿＿＿＿。外国の町で、
自分の居場所を見つけたと感じました。

キャスター：それはよかったですね。[35]

高橋：どこに行っても、いろいろなことがあると思いますが、15)＿＿＿＿＿＿＿＿＿＿＿＿＿
＿＿＿＿＿が大切だということを実感しました。

キャスター：そうですね。で、高橋さんはその後、アメリカでの研究生活が長いわけ
ですが……。

● 語彙 ●

伴う（ともな）	to go with, involve	伴随	동반(하다/되다)	[1]
** 親切にも（しんせつ）	be kind enough to do ~	好心地	친절하게도	[14]
事務の人（じむ）	a staff member of the department office	院系办公室的办事人员	사무원	[14]
** 壁（かべ）	wall	墙壁	벽	[17]
一面（いちめん）	the whole surface	一整面	한 면, 일면	[17]
くらくらする	to feel dizzy	头晕	어지럽다, 현기증이 나다	[17]
* 家具（かぐ）	furniture	家具	가구	[17]
憂鬱（な）（ゆううつ）	gloomy, feel depressed, miserable	忧郁的，沮丧的	우울(한)	[20]
** なるべく	as much as possible	尽可能	가능한 한	[20]
** 移る（うつ）	to move to a place	迁移	옮기다	[22]
二人部屋（ふたりべや）	room shared by two persons	双人间，两人共用的房间	2인실	[24]

**まじめ(な)	serious	认真的，严肃的	성실(한)	[24]
目を覚ます	to wake up	苏醒，醒来	눈을 뜨다	[25]
*ストレス	stress	压力	스트레스	[28]
喜ぶ	to be delighted	感到高兴	기뻐하다	[31]
**世界	world	世界	세계	[33]
ホッとする	to feel relieved	放心	안심하다	[33]
居場所	place where one belongs, place where one can be oneself	住处	있을 곳, 거처	[34]
*その後	after that	其后，那之后	그 후	[38]

ステップ ❹ 話そう・書こう
「日本の経験から学んだこと」
「異文化での暮らし」

目標 ■ 経験から学んだことをまとめられる・報告できるようになる

会話 1

日本人男性が留学生に日本の経験から学んだことを聞いています。_____のところに気をつけて聞きましょう。そして、a～dについて考えましょう。

☞「会話」のインフォーマル・スタイル例 [243頁]

日本人男性：ところで、アンドリューさんは日本に来てどれくらいですか。 [1]

> a. 話を始める
> Open the conversation
> 开始发言
> 이야기를 시작한다

アンドリュー：半年です。でも、あっという間でした。

日本人男性：どうでしたか。 [5]

アンドリュー：楽しかったです。始めは分からないことが多くて、ちょっと困ったこともありましたが、だんだん分かるようになってきて、今、すごく日本の生活が楽しいです。

> b. 話したいことを伝える
> Initiate conversation by introducing a topic
> 告诉别人自己想说的话
> 말하고 싶은 것을 전한다

[10]

日本人男性：へえ、例えば？

アンドリュー：始めのころはぼくが日本語で話しても、日本人は英語で答えてきてがっかりしたんです。ぼくの日本語もまだ上手じゃなかったんですけど、なんだか英語の練習に使われているような気がして。

> c．具体的に説明する
> Explain in concrete terms
> 具体说明
> 구체적으로 설명한다

[15]

日本人男性：ああ、そういうこと……。

アンドリュー：ええ。でも、そういう日本人のなかには、日本語で話すのは大変だろうと思って、親切で英語で話してくれる人もいるということが分かってきました。

[20]

日本人男性：ああ、なるほど。

アンドリュー：ええ。今はもう日本に慣れたし、そういう考え方も分かったので、英語で話されても平気になりました。

[25]

日本人男性：ああ、そうでしたか。

アンドリュー：いろいろ経験して、世界が広くなりました。

> d．まとめて、話を終わらせる
> Sum up and close the conversation
> 总结并结束发言
> 정리하고 이야기를 끝낸다

日本人男性：ああ、立派ですね。私もいい勉強になりました。

[30]

会話 2

次のような経験がありますか。そのときにどのような気持ちでしたか。その経験からどのようなことを学びましたか。考えてみましょう。それから、会話 1 のように話しましょう。

- 自分が外国人だから特別だと思った経験
- 外国人だと分かってもらえなかった経験
- 日本語を勉強してよかったと思った経験
- そのほか

座談会

次の中からテーマを決めて、司会を決めてから話し合いましょう。

- 異文化を経験して私が変わったこと
- 自分の居場所（自分の国/外国）を見つけるということ
- これから日本に留学しに来る学生たちへのアドバイス
- そのほか

スピーチ

座談会で話したことについて意見をまとめ、スピーチにしましょう。

[ポイント1] 何について話したか。

[ポイント2] あなたはどのような経験をしたか。

[ポイント3] そこから何を学んだか。

作文

この課で勉強した文法や語彙を使って、スピーチの内容を「だ・である体」で書きましょう。タイトルも考えましょう。字数は400〜600字です。

ステップ❺ 挑戦しよう
「部屋から部屋へ」

予習シート

読む前に

[1] あなたの趣味は何ですか。
[2] 趣味についての、何か特別な思い出がありますか。話してください。

読みながら

[1] この人は、どのくらい日本と関わりがありますか。
[2] その間に住んだ部屋は、全部でいくつぐらいありますか。
[3] 部屋を変えるとき、どんな経験をしましたか。
[4] この人にとって、部屋に入ること、つまり靴をぬいで部屋に入ることには、どのような意味がありますか。
[5] 「お邪魔します」はどこを通行するための合言葉ですか。
[6] この人はどうして、「お邪魔します」を100回言ってはじめて「日本」のことを語れると考えていますか。
[7] この人は「異文化」と最も有意義な関わりをするには、どのようなことをしたらいいと考えていますか。
[8] [7]について、この人は難しいと考えていますか。簡単だと考えていますか。
[9] この人の初めての「自分の部屋」は、どこにありましたか。どのような部屋でしたか。
[10] この人の記憶の中で、その部屋は「広い」ですか。「狭い」ですか。どうしてそのように考えることができるのでしょうか。

読んだ後で

[1] あなたにとって、どこが初めての「自分の部屋」でしたか。どのような部屋でしたか。

[2] あなたはこの人の「部屋」についての考えについてどのように思いましたか。

[3] これを書いたのは、リービ英雄さん（1950年アメリカ生まれ。1967年来日。1989年から日本に定住。日本語で創作する作家）です。どのような人か、もっと調べてみましょう。

本文

フリガナなし

部屋から部屋へ [1]

　二十数年間、日本とアメリカの間を行ったり来たりしている間に①、色んな部屋に出入りしてきたのである。

　日本人の部屋、日本の中の自分の部屋。

　二十数年間、ぼくは東京の、いくつだろうか、30か40ぐらいの部屋で寝起きしてきた。莫大な敷金と礼金を払って、何度も家具をすべて捨てては新しく買い替えて、ときには部屋を探して門前払いを食ったこともある。（中略） [5]

　60年代から90年代までのぼくの「東京」は数えられないほどの部屋の連続のように②記憶の中に生きている。一つ一つの部屋の中に、それぞれ違った「日本」があった。部屋という、奥の、プライベートな空間の中に「日本」があった。靴をぬいだ瞬間「アメリカ」をぬいでしまい、それから日本の部屋に上がるのだった。（中略） [10]

　「お邪魔します」は通行するための合言葉だったような気がする。「お邪魔します」を100回言って③、はじめて「日本」のことを語れるような気がする。

　部屋の中に文化がある。部屋の中まで見せてくれない「文化論」を、ぼくは信じな

い。

　「国際化」といわれている時代に、異文化の理解や異文化との関わり合いなどといった決まり文句が氾濫している。ぼくは異文化の部屋の中まで入らないと理解はありえないと思う。そして、「異文化」との最も有意義な関わり合いは、「異文化」の中で自分自身の部屋を見つけることだ、と思っている。人間は国籍を変えるのはそう簡単ではないし、人種を変えることは不可能だ。が、部屋を変えることは、敷金と礼金とを揃えればそれほど難しくはない。

　1968年の春、ぼくははじめて日本の部屋に住んだ。アメリカ・バージニア州の高校を卒業したばかりのぼくにとって、そこが世界の中ではじめて入った「自分の部屋」だった。

　その部屋は、三畳の間だった。

　本郷通りの、都電の行き交う音が、朝から夜半まで、薄い壁を通して入ってくる「下宿屋」とも「アパート」ともつかない、酒屋の二階に、その部屋があった。(中略)
　一畳が1000円の時代に、部屋代も確かに3000円だったのではないか。ちょうど一人が横になれるほどのスペースで、窓をあけるとすぐとなりの窓が見えた。
　真中に置いた座卓のまわりに、5人も6人も友達が座って、安いウイスキーを呑みながら三畳の中をたくさんの声で満たしたのだった。
　記憶の中の三畳の部屋は、広い。アメリカの広々としたルームには見つからない世界が、そこで生まれた。(中略)
　誰しも、青春の一時期を過ごした部屋は、記憶の中では広いだろう。東京の三畳の間に17歳の春を過ごしたぼくは、その後、日本のことを「狭い」と思ったことはない。

（リービ英雄『日本語の勝利』講談社、1992年）

フリガナつき

部屋から部屋へ

　二十数年間、日本とアメリカの間を行ったり来たりしている間に、色んな部屋に出入りしてきたのである。
　日本人の部屋、日本の中の自分の部屋。

二十数年間、ぼくは東京の、いくつだろうか、30か40ぐらいの部屋で寝起きしてきた。莫大な敷金と礼金を払って、何度も家具をすべて捨てては新しく買い替えて、ときには部屋を探して門前払いを食ったこともある。(中略)

　60年代から90年代までのぼくの「東京」は数えられないほどの部屋の連続のように記憶の中に生きている。一つ一つの部屋の中に、それぞれ違った「日本」があった。部屋という、奥の、プライベートな空間の中に「日本」があった。靴をぬいだ瞬間「アメリカ」をぬいでしまい、それから日本の部屋に上がるのだった。(中略)

　「お邪魔します」は通行するための合言葉だったような気がする。「お邪魔します」を100回言って、はじめて「日本」のことを語れるような気がする。

　部屋の中に文化がある。部屋の中まで見せてくれない「文化論」を、ぼくは信じない。

　「国際化」といわれている時代に、異文化の理解や異文化との関わり合いなどといった決まり文句が氾濫している。ぼくは異文化の部屋の中まで入らないと理解はありえないと思う。そして、「異文化」との最も有意義な関わり合いは、「異文化」の中で自分自身の部屋を見つけることだ、と思っている。人間は国籍を変えるのはそう簡単ではないし、人種を変えることは不可能だ。が、部屋を変えることは、敷金と礼金とを揃えればそれほど難しくはない。

　1968年の春、ぼくははじめて日本の部屋に住んだ。アメリカ・バージニア州の高校を卒業したばかりのぼくにとって、そこが世界の中ではじめて入った「自分の部屋」だった。

　その部屋は、三畳の間だった。

　本郷通りの、都電の行き交う音が、朝から夜半まで、薄い壁を通して入ってくる「下宿屋」とも「アパート」ともつかない、酒屋の二階に、その部屋があった。(中略)

　一畳が1000円の時代に、部屋代も確かに3000円だったのではないか。ちょうど一人が横になれるほどのスペースで、窓をあけるとすぐとなりの窓が見えた。

　真中に置いた座卓のまわりに、5人も6人も友達が座って、安いウイスキーを呑みながら三畳の中をたくさんの声で満たしたのだった。

　記憶の中の三畳の部屋は、広い。アメリカの広々としたルームには見つからない世界が、そこで生まれた。(中略)

誰しも、青春の一時期を過ごした部屋は、記憶の中では広いだろう。東京の三畳の間に17歳の春を過ごしたぼくは、その後、日本のことを「狭い」と思ったことはない。　[35]

(リービ英雄『日本語の勝利』講談社、1992年)

● 語彙 ●

*数年	some years, several years	几年，数年	몇 년	[2]
出入り	going in and out, visit	进出，访问	출입, 드나듦	[2]
寝起きする	to lie down and get up, live	起居	자고 일어나다, 기거하다	[5]
莫大(な)	huge, enormous, vast	庞大(的)，巨大(的)	막대(한)	[6]
敷金	deposit money	押金	임차 보증금	[6]
礼金	key money	礼金，酬金	사례금	[6]
買い替える	to replace (with a new purchase)	购买新的以置换旧的	새로 사다	[6]
ときには	in times	有时候	때로는	[6]
門前払いを食う	to be turned away at the door	吃闭门羹	문전박대를 당하다	[7]
*数える	to count	数，计数	세다, 헤아리다	[8]
連続(する)	succession, continuance (to continue)	连续	연속(하다)	[8]

記憶(する) きおく	memory, recollection (to memorize, remember)	记忆	기억(하다)	[9]
*奥 おく	the depth, back, recess	后面，后部	속，깊숙한 곳	[10]
*プライベート(な)	private	私人(的)	프라이빗(한)	[10]
空間 くうかん	space, room, place	空间	공간	[10]
瞬間 しゅんかん	moment, instant	瞬间	순간	[10]
通行(する) つうこう	passing, traffic (to pass)	通行，通过	통행(하다)	[12]
合言葉 あいことば	password	密码，暗号	암호	[12]
語る かた	to speak, talk, tell	说，讲	말하다	[13]
一論 ろん	argument, discussion, opinion	～论	～론	[14]
国際化 こくさいか	globalization	国际化	국제화	[16]
関わり合い かか あ	concern, relation, link	关系，关联	관계, 연관, 상관	[16]
決まり文句 き もんく	set phrase, cliché, fixed expression	固定表达	상투적인 말, 판에 박힌 말	[17]
氾濫(する) はんらん	overflow, flood (to flood, overflow)	(洪水等)泛滥	범람(하다)	[17]
*最も もっと	the most	最	가장	[18]
有意義(な) ゆういぎ	meaningful, worthwhile, beneficial	有意义(的)	의미있는	[18]
*国籍 こくせき	nationality	国籍	국적	[19]
*人種 じんしゅ	human race	人种	인종	[20]
*不可能(な) ふかのう	impossible	不可能(的)	불가능(한)	[20]
*揃える そろ	to get ～ together, complete ～	集齐	갖추다	[21]
*それほど	not that much	(并不)那样～, (并非)那么～	그다지	[21]
バージニア州 しゅう	Virginia state (USA)	(美国)弗吉尼亚州	버지니아주	[22]
*一畳 じょう	tatami-mat	～张(计算榻榻米数量，表示房间大小的量词)	일본에서 다다미를 세는 단위	[25]
間 ま	room	房间	방, 공간	[25]

本郷通り ほんごうどおり	Hongo Street (a street in Tokyo)	（东京的道路） 本乡大道	홍고길 (도쿄의 한 지역)	[26]
都電 とでん	streetcar in Tokyo	东京都交通局营运的 路面电车	도쿄도가 운영하는 전철	[26]
行き交う いか	to come and go	来往	오고 가다	[26]
**音 おと	sound, noise	声音	소리	[26]
夜半 やはん	midnight	半夜	한밤중	[26]
通す とお	to pass, go through	通过，穿过	통하다	[26]
下宿屋 げしゅくや	boardinghouse, lodging house	租给他人住宿的 自宅房间	하숙집	[27]
～とも～ともつかない	not ～ or ～	既不是～也不是～	～라고도 ～라고도 할 수 없다	[27]
酒屋 さかや	liquor store	出售酒类的商店	주류 가게	[27]
*－代 だい	charge of ～, money for ～	～费（用）	～요금	[28]
横になる よこ	to lie, lie down	躺	눕다	[29]
*スペース	space, room	空间	공간, 스페이스	[29]
**真中 まんなか	middle, center	正中间	한 가운데	[30]
座卓 ざたく	low table	矮桌	좌탁	[30]
満たす み	to fill, satisfy	使充满，满足	채우다	[31]
*広々とした ひろびろ	spacious, expansive	宽敞的	넓디 넓은	[32]
誰しも だれ	no matter who you are	无论是谁	누구나	[34]
青春 せいしゅん	youth, adolescence	青春	청춘	[34]
*時期 じき	time, stage	时期	시기	[34]
*過ごす す	to spend, pass	度过	보내다	[34]

おわりに
「元気でやっています」

- 日本語の先生へのメール
- 日本に慣れたと思うのはどのようなときですか？
- 異文化に慣れるということは？
- 自分の力でやってみましょう

日本語の先生へのメール

第1課から第6課を読んでみて、日本での生活を知ることができましたか。次のメールを読んで考えましょう。

差出人：アンドリュー・ウィルソン
件名：おひさしぶりです（アンディ）
日時：20XX年3月27日

ジョンソン先生

おひさしぶりです。お変わりありませんか。
日本に来てからもう半年経ちました。あっという間でした。いままでぜんぜん連絡しないで、すみませんでした。

試験のあと春休みが始まりましたが、アルバイトをしたりサークルの友だちと旅行したりして、とても忙しかったです。今やっと時間ができたところです。
日本での生活では、始めは分からないことが多くて、困ったこともありました。「世界の音楽クラブ」サークルに入って、留学生だけでなく、日本人の友だちもたくさんできました。大学祭ではいろいろな国からの留学生と世界の歌を紹介しました。お客さんがたくさん来てくれてうれしかったです。

日本人のチューターの木村君ととても仲良くなって、お正月には北海道の木村君の家にホームステイをしました。初めてスキーも経験して、温泉にも入りました。でも日本の生活費は高いですから、アルバイトをしなくてはなりませんでした。毎朝コンビニでアルバイトしてから授業に行きました。アルバイトは大変ですが、日本人の仕事のしかたや考え方が分かって勉強になります。

日本人やクラスメートと交流して、自分の世界が広くなったような気がしていま

す。4月からまた授業が始まります。来学期はまとめのプロジェクトもあります。がんばろうと思います。 [20]

またメールします。
先生もお体を大切になさってください。

アンディ

[1] だれがだれに書きましたか。どのような関係ですか。
[2] これを書いた人は、今どこにいますか。
[3] これを書いた人は、どのような経験をしましたか。どのような人との出会いがありましたか。
[4] これを書いた人は、これからの生活についてどのように思っていますか。それはどこから分かりますか。

● 語彙 ●

*あっという間	an instant	一眨眼的功夫, 转瞬之间	눈깜짝할 사이	[6]
*－費	～ expenses	～費(用)	～비	[16]

日本に慣れたと思うのはどのようなときですか？

あなたは、どのようなときに日本に慣れたと思いますか。この教科書で学んで、あなたが思ったことを話しましょう。日本にいたことがある人は自分の経験を話しましょう。

異文化に慣れるということは？

異文化に慣れるとは、どのようなことでしょうか。次の文章を読んで考えましょう。

よそ者と異文化適応

[1]

　異文化適応においては、自文化を離れ、新しい文化環境に入っていく際に、どのように現地に馴染んでいく（適応していく）のかということが問題となる。そして、多くの場合、新しい文化環境であるホスト・カルチャーに慣れるということを適応と呼んでいる。だが、ホスト・カルチャーに慣れるとはどういうことな [5] のだろうか。ホスト・カルチャーを理解し、現地の人たちと同じように振る舞える、いわゆる同化を意味するのだろうか。それとも、「差異との統合」を指すのだろうか。おそらく後者に近い概念であろう。現地の人たちとうまくやっていくことができると同時に、異質性も保持したまま存在することなのかもしれない。

(池田理知子「「よそ者」と異文化適応」『よくわかる異文化コミュニケーション』ミネルヴァ書房、2010年） [10]

[1] 自文化を離れて、新しい文化環境に入っていくときの「適応」は、多くの場合どのような状態になることを意味しますか。

[2] それは「同化」と同じですか。

[3] あなたはこの文章を読んで、どのように思いましたか。

● 語 彙 ●

適応(する) てきおう	adaptation (to adjust oneself), fit in	适合，适应	적응(하다)	[1]
*離れる はな	to leave, go away (from)	离开	떠나다	[2]
現地 げんち	local, on site	现居住地，现场	현지	[3]
振る舞う ふ ま	to behave, to conduct oneself	行动	행동하다	[6]
同化(する) どうか	assimilation (to assimilate into, to conform)	同化	동화(되다)	[7]
統合(する) とうごう	integration (to integrate, merge)	统一，综合	합류(하다)	[7]
概念 がいねん	concept	概念	개념	[8]
保持(する) ほじ	maintenance, preservation (to keep up, maintain)	保持	보유/유지(하다)	[9]

自分の力でやってみましょう

この教科書でどのようなことが分かりましたか。これまでに勉強した日本語を使って、自分でもいろいろなことを調べて、考えてみましょう。

[1] 中・上級の学習を始める前に、この教科書を復習しましょう。

[2] 新聞やニュース、先輩の話から、日本についてのおもしろい情報を集めましょう。

[3] その情報について、調べてみましょう。

[4] その情報をあなたの体験と比べて、考えてみましょう。

復習文法（ステップ2　整理しよう）

この教科書に出てくる復習文法

第1課　人と出会う

① V/A/AN(stem)-そうだ（様態）
② V-てくれる/あげる/もらう（授受）
③ V-(y)oo（意志）
④ V-てくる（移動）
⑤ S(plain)ようだ（推量）
⑥ 受身（passive）
⑦ S(plain)のだ

第2課　夢を話す

① S(plain)そうだ（伝聞）
② S(plain non-past)ようになる（変化）
③ V-ていく（移動）
④ V-てしまう
⑤ 可能形（potential forms）
⑥ 敬語（polite Expressions）

第3課　違いを考える

① V-てある（結果）
② V(non-past)とS(non-past)（条件）
③ V-てほしい

第4課 生活になじむ

① V-なくちゃ

② 使役受身(causative passive)

第6課 居場所を見つける

① S1(plain)間(に)S2

第1課 人と出会う

① **V/A/AN(stem)-そうだ(様態)** ス1 [10]
   it looks as if 〜
   看起来〜
   〜(으)ㄹ 것 같다

[例]　a．雨が降りそうだ。
　　　b．ケーキがおいしそうだ。　cf. おいしそうなケーキ
　　　c．ろうそくの火が消えそうだ。

[復習1]

どのようなときに使いますか。

[復習2]

次の文の形を変えましょう。

1．あの人は忙しいです。　→　あの人は＿＿＿＿＿＿＿＿＿＿＿＿＿＿＿＿＿。
2．あの学生は暇です。　　→　あの学生は＿＿＿＿＿＿＿＿＿＿＿＿＿＿＿＿＿。
3．きょうは暑くなります。　→　きょうは、＿＿＿＿＿＿＿＿＿＿＿＿＿＿＿＿＿。

> 💡 「忙しくない」「降らない」など、「ない」がつくときは、「忙しくなさそうだ」「降らなさそうだ」のように「〜なさそうだ」になります。

［復習3］イラストを見て、文を作ってください。

1.　　　　　　　　2. 　　　　　　　　3.

② **V-てくれる/もらう/あげる(授受)**　　　　　　　ス1 [11]　ス5 [3, 20, 21, 22]
　　giving and receiving of a favor
　　施恵和受恵
　　수수 표현：~(아/어) 주다

［例］　a．友だちに仕事を手伝ってもらいました。
　　　　b．留学生の友だちに漢字を教えてあげました。
　　　　c．親切にしてくれました。

［復習1］

どのようなときに使いますか。

［復習2］

テ形の復習をしましょう。

1. vowel verb (ru-verb、Ⅱ類動詞、一段動詞)

辞書形	テ形	辞書形	テ形
-iru：見る		-eru：食べる	

2. consonant verb (u-verb、Ⅰ類動詞、五段動詞)

辞書形	テ形	辞書形	テ形
-k：書く		-g：泳ぐ	
-m：読む		-n：死ぬ	
-b：運ぶ		-r：売る	

-t：待つ		-w：買う	
-s：話す			

3．irregular verb（不規則動詞）

辞書形	テ形	辞書形	テ形
くる		する	

> 「行く」のテ形は「行って」です。

［復習3］イラストを見て、この女の人になって話してください。

1.　　　　　　2.　　　　　　3.

③　V-(y) oo（意志）　　　　　　　　　　　　　　　　ス1 [13]

［例］　a．試験の前だから、**勉強しよう**。

　　　　b．きょうは、遊びに**行こう**。

　　　　c．日本語で**話そう**。

［復習1］

どのようなときに使いますか。

［復習2］

意志形の復習をしましょう。

1. vowel verb (ru-verb、Ⅱ類動詞、一段動詞)

辞書形	V-(y)oo形	辞書形	V-(y)oo形
-iru：見る		-eru：食べる	

2. consonant verb (u-verb、Ⅰ類動詞、五段動詞)

辞書形	V-(y)oo形	辞書形	V-(y)oo形
-k：書く		-g：泳ぐ	
-m：読む		-n：死ぬ	
-b：運ぶ		-r：売る	
-t：待つ		-w：買う	
-s：話す			

3. irregular verb (不規則動詞)

辞書形	V-(y)oo形	辞書形	V-(y)oo形
くる		する	

[復習3] 文を作ってください。

1. ＿＿＿＿＿＿＿＿＿＿＿＿＿＿＿＿＿＿＿＿＿から、きょうは早く寝よう。
2. 友だちがうちに遊びに来るので、＿＿＿＿＿＿＿＿＿＿＿＿＿＿＿。
3. ＿＿＿＿＿＿＿＿＿＿＿＿＿＿＿＿＿＿＿＿＿＿＿＿＿＿＿＿＿。

④ **V-てくる(移動)**   ス1 [17]　ス5 [17]
do something and come：come ～ing
V(了)来；V着来
V-고 오다；V-(아/어) 오다

［例］　a．図書館でコピーをしてきます。

　　　b．コンビニでお弁当を買ってきます。

　　　c．田中さんはなぜかぼくの方に走ってきて、……。

［復習1］

どのようなときに使いますか。

［復習2］

次の文の形を変えましょう。

1．駅から歩きます。　　　→　駅から＿＿＿＿＿＿＿＿＿＿＿＿＿＿＿＿＿＿。

2．昼ご飯を食べます。　　→　昼ご飯を＿＿＿＿＿＿＿＿＿＿＿＿＿＿＿＿＿。

3．図書館で本を借ります。→　図書館で本を＿＿＿＿＿＿＿＿＿＿＿＿＿＿＿。

「V-てくる」は、「勉強してきました」のように、何かをしてから来るという意味と、「自転車に乗ってくる」「歩いてくる」のように、来るときの方法を表す意味と、「ちょっとお弁当を買ってきます」「電話をかけてきます」のように、いまいるところからどこかに行って、そこで何かをして、またここに戻ってくる意味を表します。漢字の「来る」も使います。

［復習3］イラストを説明してください。

1.　　　　　　2.　　　　　　3.

⑤ **S(plain)ようだ(推量)**　　　　　　　　　　　　ス1 [18] ス5 [7]
　it seems that S
　看来S；看似S
　S 것 같다

［例］　a．あの人は留学生のようだ。

　　　b．母が帰ってきたようだ。

　　　c．「お茶の時間だから、こっちへ来て」と言いたかったようです。

［復習1］

どのようなときに使いますか。

［復習2］

次の文の形を変えましょう。

1. 田中さんは学生です。　→　田中さんは_____。

2. 田中さんは忙しいです。　→　田中さんは_____。

3. だれも家にいません。　→　だれも家に_____。

［復習3］イラストを説明してください。

1.　　　　　　　　2.　　　　　　　　3.

⑥ 受身 (passive)

ス1 [23]　ス5 [7, 23]

［例］　a. こんでいる電車で、さいふを**ぬすまれました**。

　　　b. 母に**怒られました**。

　　　c.「ばか」と**言われた**のです。

［復習1］

どのようなときに使いますか。

［復習2］

受身形の復習をしましょう。

1. vowel verb（ru-verb、Ⅱ類動詞、一段動詞）

辞書形	受身形	辞書形	受身形
-iru：見る		-eru：食べる	

2. consonant verb（u-verb、Ⅰ類動詞、五段動詞）

辞書形	受身形	辞書形	受身形
-k：書く		-g：泳ぐ	
-m：読む		-n：死ぬ	
-b：運ぶ		-r：売る	
-t：待つ		-w：買う	
-s：話す			

3. irregular verb（不規則動詞）

辞書形	受身形	辞書形	受身形
くる		する	

[復習3] イラストを見て、この男の人になって話してください。

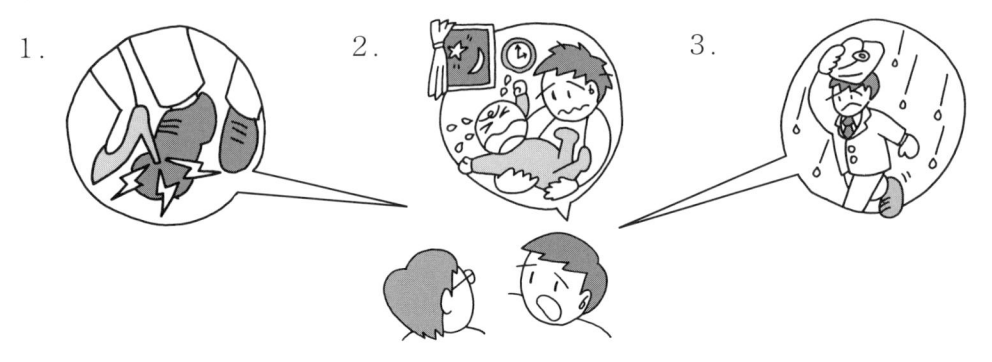

1.　2.　3.

⑦　**S(plain)のだ**　　　　　　　　　　　　　　　　ス1 [25]　ス5 [7, 10, 24]

[例]　a．すみません。駅に行きたいんですが……。

　　　b．眠いです。きのう寝られなかったんです。

　　　c．2週間のホームステイで日本が大好きになったのです。

[復習1]

どのようなときに使いますか。

[復習2]

「S(plain)のだ」の形に変えましょう。

学生です	学生なんです	学生でした	学生だったんです
学生じゃありません		学生じゃありませんでした	
元気です		元気でした	
元気じゃありません		元気じゃありませんでした	
大きいです		大きかったです	
大きくありません/大きくないです		大きくありませんでした/大きくなかったです	
します		しました	
しません		しませんでした	

> 話し言葉では、「のです」が「んです」になることが多いです。

[復習3]

イラストを見て、この人になって答えてください。

友だち：どうしたんですか。

あなた：＿＿＿＿＿＿＿＿＿＿＿＿＿＿＿＿＿＿＿＿＿＿＿＿＿＿＿＿＿＿。

1.　　　　　　　2. 　　　　　　　3.

第2課 夢を話す

① **S(plain)そうだ(伝聞)**　　　　　　　　　　　　　ス1 [5]　ス5 [13, 20, 23]
I heard that 〜 ; they say that 〜
听(人)说〜
S-고 하다

[例]　a．天気予報によると、あしたは寒くなる**そうだ**。
　　　b．田中さんが留学する**そうだ**。
　　　c．むかしは厳しい自然の中での農業は本当に大変だった**そうだ**。

[復習1]

どのようなときに使いますか。

[復習2]

次の文の形を変えましょう。

1．田中さんがアルバイトをやめました。
　　　　　　　　　　　　　　→　田中さんがアルバイトを＿＿＿＿＿＿＿＿。
2．あした、試験はありません。　→　あした、試験は＿＿＿＿＿＿＿＿＿＿＿。
3．あの人は学生です。　　　　　→　あの人は＿＿＿＿＿＿＿＿＿＿＿＿＿。

> 💡 「雨が降るそうだ」と「雨が降りそうだ」、「田中さんは忙しいそうだ」と「田中さんは忙しそうだ」の違いに注意しましょう。

[復習3]

イラストを見て、友だちに伝えてください。

② **S(plain non-past)ようになる(変化)** ス1 [6, 7]　ス5 [16]
　　it reaches a point where 〜；it comes to 〜
　　出现了S这一情况
　　S-게 되다

[例]　a．勉強したので、新聞が読めるようになった。
　　　b．日本語が上手に話せるようになりたい。
　　　c．1960年頃から農薬を使うようになって、生産量が上がっていった。

[復習1]

どのようなときに使いますか。

[復習2]

文を作ってください。

1．前は自転車に乗れませんでしたが、今は＿＿＿＿＿＿＿＿＿＿＿＿＿＿＿＿＿＿＿＿＿。
2．前は日本語は話せませんでしたが、今は＿＿＿＿＿＿＿＿＿＿＿＿＿＿＿＿＿＿＿＿。
3．前は勉強しませんでしたが、今は＿＿＿＿＿＿＿＿＿＿＿＿＿＿＿＿＿＿＿＿＿＿＿。

[復習3]

文を作ってください。

1．＿＿＿＿＿＿＿＿＿＿＿＿＿＿＿＿＿＿＿＿＿＿＿＿＿＿＿ようになりました。
2．＿＿＿＿＿＿＿＿＿＿＿＿＿＿＿＿＿＿＿＿＿＿＿＿＿＿＿ようになりました。
3．＿＿＿＿＿＿＿＿＿＿＿＿＿＿＿＿＿＿＿＿＿＿＿＿＿＿＿ようになりたいです。

③ **V-ていく(移動)** ス1 [7]
　　do something and go；go by 〜ing
　　V(了)去, V着去
　　V-고 가다, V-(아/어) 가다

[例]　a．学校へ歩いていった。
　　　b．自転車に乗っていった。
　　　c．朝ごはんを食べていった。

［復習1］

どのようなときに使いますか。

［復習2］

次の文の形を変えましょう。

1. 大学まで走ります。　　　　　→　大学まで＿＿＿＿＿＿＿＿＿＿＿＿＿＿＿。

2. コンビニでお弁当を買います。　→　コンビニでお弁当を＿＿＿＿＿＿＿＿＿。

3. 作文を書きます。　　　　　　→　作文を＿＿＿＿＿＿＿＿＿＿＿＿＿＿＿＿。

> 1のように、「V-て」でどのように移動するかを表す使い方と、2、3のように、「買う」「書く」ことをしてから移動することを表す使い方があります。どちらになるかはVの意味で決まります。漢字の「行く」も使います。

［復習3］

文を作ってください。

1. すみません。これを＿＿＿＿＿＿＿＿＿＿＿＿＿＿＿＿行ってください。

2. 歩いて行くより＿＿＿＿＿＿＿＿＿＿＿＿＿＿＿＿行った方が速い。

3. 雨が降りそうだから、＿＿＿＿＿＿＿＿＿＿＿＿＿＿＿行こう。

④　V-てしまう　　　　　　　　　　　　　　　　　　　　　ス1 [8]

I regret that something happened/finish doing ～
表示说话人对已发生事件的遗憾/做完～
V-(아/어) 버리다/말다

［例］　a．宿題をしてしまった。

　　　b．パソコンをこわしてしまった。

　　　c．農薬が土に残ってしまい、その結果、水まで汚染されてしまった。

［復習1］

どのようなときに使いますか。

［復習2］

次の文の形を変えましょう。

1. 準備をしました。　　→　準備を＿＿＿＿＿＿＿＿＿＿＿＿＿＿＿＿＿＿。
2. 宿題を忘れました。　→　宿題を＿＿＿＿＿＿＿＿＿＿＿＿＿＿＿＿＿＿。
3. さいふをなくしました。→　さいふを＿＿＿＿＿＿＿＿＿＿＿＿＿＿＿＿＿。

［復習3］

イラストを見て、この人の残念な気持ちを言ってください。

1.　　　　　　　　2.　　　　　　　　3.

⑤ 可能形 (potential forms)　　　　　　　　　　　　　　ス1 [16]　ス5 [3, 8]

［例］　a．日本語が**話せ**ます。

　　　b．英語が**使える**仕事をさがしています。

　　　c．私の国の人々が安心して水を**飲める**ようにすればいい。

［復習1］

どのようなときに使いますか。

［復習2］

可能形の復習をしましょう。

1. vowel verb（ru-verb、Ⅱ類動詞、一段動詞）

辞書形	可能形	辞書形	可能形
-iru：見る		-eru：食べる	

2．consonant verb（u-verb、Ⅰ類動詞、五段動詞）

辞書形	可能形	辞書形	可能形
-k：書く		-g：泳ぐ	
-m：読む		-n：死ぬ	
-b：運ぶ		-r：売る	
-t：待つ		-w：買う	
-s：話す			

3．irregular verb（不規則動詞）

辞書形	可能形	辞書形	可能形
くる		する	

💡 「ひらがなが読めます」も「ひらがなを読めます」もどちらも使えます。また、「分かる、できる、ある、見える、聞こえる」などは可能形がありません。

［復習3］動詞の可能形を使って文を作ってください。

1．兄はピアノ＿＿＿＿＿＿＿＿＿＿＿＿＿＿＿＿＿＿＿＿＿＿＿＿＿＿＿＿＿＿。

2．妹は日本語＿＿＿＿＿＿＿＿＿＿＿＿＿＿＿＿＿＿＿＿＿＿＿＿＿＿＿＿＿＿。

3．友だちは自転車＿＿＿＿＿＿＿＿＿＿＿＿＿＿＿＿＿＿＿＿＿＿＿＿＿＿＿。

⑥ **敬語**（Polite Expressions）　　　　　　　　　　　　　　　ス5 [4, 5, 20]

［例］　a．先生は大学に**いらっしゃいます**。

　　　　b．お元気な姿を**拝見**し、すごくうれしかった。

　　　　c．**お会いする**機会が少なくなるかもしれないが……。

[復習1]

どのようなときに使いますか。

[復習2]

敬語の復習をしましょう。

1. 尊敬語（honorific expressions）

①特別な尊敬語動詞（special honorific verb）

行く		飲む	
来る		する	
いる		見る	
食べる			

②お＋V（stem）になる

| 書く | | 読む | |

③お＋V（stem）だ

| 書く | | 読む | |

2. 謙譲語（humble expressions）

①特別な謙譲語動詞（special humble verb）

行く		飲む	
来る		する	
いる		見る	
食べる			

② お + V (stem) する

書く		読む	

> 謙譲語は、普通、自分がだれかのためにすることについて使います。「起きる」「パソコンを使う」など、自分のためにすることについて「けさ、私は5時にお起きしました」や「けさ、私はパソコンをお使いしました」とは言えません。

［復習3］

次の文を敬語の文にしてください。

1. 先生の荷物を持った。　→ ＿＿＿＿＿＿＿＿＿＿＿＿＿＿＿＿＿＿。
2. 先生は本を読んでいた。　→ ＿＿＿＿＿＿＿＿＿＿＿＿＿＿＿＿＿＿。
3. 私は先生が書いた本を読んだ。→ ＿＿＿＿＿＿＿＿＿＿＿＿＿＿＿＿＿＿。

第3課 違いを考える

① V-てある（結果）　　　　　　　　　　　　　　　　　　　　　　　　　　ス1 [6, 12]

［例］　a．黒板にひらがなが書いてある。
　　　　b．家には家族の写真がたくさんかざってあった。
　　　　c．山本さんの家には仏壇というものもおいてある。

［復習1］

どのようなときに使いますか。

［復習2］

次の文の形を変えてください。

1. 食事の準備をする。　　　→　食事の＿＿＿＿＿＿＿＿＿＿＿＿＿＿＿＿。
2. 教科書に名前を書く。　　→　教科書に＿＿＿＿＿＿＿＿＿＿＿＿＿＿＿＿。
3. パーティーに友だちを呼ぶ。→　パーティーに＿＿＿＿＿＿＿＿＿＿＿＿＿＿。

> 動詞は他動詞(transitive verb)で、何かをして、その結果が残っているという意味です。Nの後には「が」か「を」が使われて、Nの状態(situation)を表します。同じ意味の自動詞(intransitive verb)がある時には、「自動詞(intransitive verb)-ている」で状態を表すこともできます。
> 例：「電気が/をつけてあります」「電気がついています」

[復習3]

文を作ってください。

1. 寒いので窓を閉めました。　→　寒いので、窓が_____。
2. テーブルに皿を置きました。→　テーブルに皿が_____。
3. 部屋に花をかざりました。　→　部屋に花が_____。

② V(non-past)とS(non-past)(条件)　　　　　　　　　　　ス1 [10]

[例]　a．スイッチを入れると電気がつきます。

　　　b．冬になると雪が降ります。

　　　c．赤ちゃんが生まれると近所の神社で成長を願う。

[復習1]

どのようなときに使いますか。

[復習2]

「と」を使って次の2つの文を1つにしてください。

1. 春になります/あたたかくなります
   → _____。

2. くすりを飲みます/なおります
   → _____。

3. 練習しません/上手になりません
   → _____。

> 👁 S（non-past）には、「してください」「しませんか」「したらどうですか」「しましょう」など、人に何かをたのんだり、誘ったり、アドバイスしたりする形は使えません。このようなときは、「駅についたら電話してください」のように「〜たら」を使います。

［復習３］

文を作ってください。

1. 外国語が話せると＿＿＿＿＿＿＿＿＿＿＿＿＿＿＿＿＿＿＿＿＿＿＿＿＿＿＿＿＿＿＿。

2. 次の角を右にまがると＿＿＿＿＿＿＿＿＿＿＿＿＿＿＿＿＿＿＿＿＿＿＿＿＿＿＿。

3. 漢字は＿＿＿＿＿＿＿＿＿＿＿＿＿＿＿＿＿＿＿＿＿＿＿＿＿と覚えられません。

③　**V-てほしい**　　　　　　　　　　　　　　　　　　　　　ス１[24]　ス５[20]

I want someone/soomething to do/be 〜
希望某人做某事
V-하기를 바라다 : V-했으면 좋겠다

［例］　a．冬休みがもっと早く始まってほしい。

　　　　b．あした、雨が降らないでほしい。

　　　　c．機会があったら、クラスのみんなにも一緒に考えてほしい。

［復習１］

どのようなときに使いますか。

［復習２］

次の文の形を変えてください。

1. 友だちが遊びにくる。　　　　→　＿＿＿＿＿＿＿＿＿＿＿＿＿＿＿＿。

2. 友だちがパーティの準備を手伝う。→　＿＿＿＿＿＿＿＿＿＿＿＿＿＿＿＿。

3. 友だちが国に帰らない。　　　→　＿＿＿＿＿＿＿＿＿＿＿＿＿＿＿＿。

> 👁 だれかへの希望ではなく、こうなったらいいと思うときは、たとえば、「物価が安くなってほしい」「天気がよくなってほしい」などのように、助詞は「に」ではなく、「が」を使います。

［復習3］

文を作ってください。

1．あしたは山に行くから、雨_____ほしい。

2．私は両親_____ほしい。

3．誕生日のパーティに友だち_____ほしい。

第4課 生活になじむ

① V-なくちゃ　　　　　　　　　　　　　　　　　　ス１[2]　ス５[11]

　　one must do ～
　　必須、非～不可
　　V-(아/어)야지 ; V-(아/어)야겠다
　　cf.　Vなくちゃ＝Vなくては/Vなきゃ

［例］　a．勉強しなくちゃ。

　　　　b．急がなくちゃ。

　　　　c．仲よくならなくちゃ。

［復習1］

どのようなときに使いますか。

［復習2］

形を変えてください。

1．学校に行く。　→_____。

2．勉強する。　　→_____。

3．はやく帰る。　→_____。

［復習3］文を作ってください。

1．あしたは試験があるので、_____。

2．ああ、時間がない。_____。

3．もうすぐお客様が来る。_____。

② 使役受身 (causative passive)　　　ス1 [22]　ス5 [10]

[例]　a．先生に漢字を練習させられた。
　　　b．先生に本を読ませられた。
　　　c．店を変えさせられた。

[復習1]

どのようなときに使いますか。

[復習2]

使役受身の形を復習しましょう。

1．vowel verb（ru-verb、Ⅱ類動詞、一段動詞）

辞書形	使役受身形	辞書形	使役受身形
-iru：見る		-eru：食べる	

2．consonant verb（u-verb、Ⅰ類動詞、五段動詞）

辞書形	使役受身形	辞書形	使役受身形
-k：書く		-g：泳ぐ	
-m：読む		-n：死ぬ	
-b：運ぶ		-r：売る	
-t：待つ		-w：買う	
-s：話す			

3．irregular verb（不規則動詞）

辞書形	使役受身形	辞書形	使役受身形
くる		する	

> consonant verb（u-verb、Ⅰ類動詞、五段動詞）には、「書かされる」、「読まされる」、「待たされる」という言い方がある動詞もあります。

［復習3］

イラストを見て、この人になって話してください。

1.　　　　　　　　　2. 　　　　　　　　　3.

第6課 居場所を見つける

第6課　居場所を見つける（ステップ2　整理しよう）

① **S1(plain)間(に)S2**　　　　　　　　　　　ス1 [11]　ス5 [2]
　　while S1, S2
　　在S1期间S2
　　S1 동안(에) S2

［例］　a．お母さんは、子どもが寝ている**間に**掃除や洗濯をした。
　　　b．友だちが宿題をしている**間**、新聞を読んで待っていた。
　　　c．日本とアメリカの間を行ったりきたりしている**間に**、……。

［復習1］

どのようなときに使いますか。

［復習2］

「間」を使って、次の2つの文を1つの文にしてください。

1．友だちが勉強している/私はテレビを見た

　→ _____。

2．留学している/いろいろなところを旅行したい
　　→＿＿＿＿＿＿＿＿＿＿＿＿＿＿＿＿＿＿＿＿＿＿＿＿＿＿＿＿＿＿＿＿＿。

3．子どもが寝ている/掃除と洗濯をしてしまう
　　→＿＿＿＿＿＿＿＿＿＿＿＿＿＿＿＿＿＿＿＿＿＿＿＿＿＿＿＿＿＿＿＿＿。

> 「子どもが寝ている間、晩ごはんの支度をしました」、「子どもが寝ている間に、仕事をしてしまいました」は言えますが、「子どもが寝ている間、仕事をしてしまいました」とは言えません。「間」と「間に」の違いに気をつけましょう。

［復習3］文を作ってください。

1．＿＿＿＿＿＿＿＿＿＿＿＿＿＿＿＿＿＿＿＿＿＿＿間、働いていました。

2．友だちが勉強している間、＿＿＿＿＿＿＿＿＿＿＿＿＿＿＿＿＿＿＿。

3．友だちが勉強している間に、＿＿＿＿＿＿＿＿＿＿＿＿＿＿＿＿＿。

「聞き取り」の答え
(ステップ3　聞こう　「タスク」[2])

第1課 人と出会う　　　　[25頁]

1) 行こうと思って
2) 話しかけられた
3) 話しかけてきた
4) 言ってきた
5) 分かるはずがないだろう
6) 連れて行って
7) なかなか
8) 説明してもよかった
9) 道案内
10) 難しい

第2課 夢を話す　　　　[60頁]

1) とは
2) という意味
3) に関わる
4) 習うだけじゃなく
5) 助けてくれないかな
6) 苦労されている
7) 活動していきたい
8) それなりに
9) 勉強してきたつもり
10) 勉強しないといけない

第3課 違いを考える　　　　[101頁]

1) に対する
2) 信じていないのに
3) やっているわけです
4) 日本人にとっては
5) 日本人といったところ
6) アメリカの方から見ると
7) 昔の私だったら
8) 分かってきました
9) 外国人だったとしたら
10) なかなか理解できない
11) そういうことからすると
12) 信じているわけじゃない

第4課 生活になじむ [134頁]

1) デートするたびに
2) とか
3) とか
4) とか
5) ひとつとっても
6) 英語で言わせられて
7) 帰っちゃった
8) 入ったとたんに
9) 考えなくちゃいけなくて
10) 自分で選ぶのが普通
11) 何をどう注文するか
12) 思いながら
13) 難しいものだ

第5課 経験をふりかえる [167頁]

1) 日本人の遠回しな言い方
2) 検討します
3) あいまいな言葉のせいか
4) 謝るときだけでなく
5) 謝っているように
6) あいまいな言葉にまつわる話
7) いつか遊びに来てね
8) あいさつみたいに
9) 日本人だったらかまわない
10) 留学生のせいじゃない
11) むしろ文化の問題
12) 一緒に何か活動する中で
13) 経験する場がないだけだ
14) 本音で話せるようになる
15) ところで

第6課 居場所を見つける [196頁]

1) 生活している間
2) お話しいただきたい
3) 留学生として
4) 着いて、初めて
5) 着いたばかりで
6) 困っていると
7) 探してくれました
8) 窓がなくて暗い
9) 頭がくらくらするほどの
10) いないようにしました
11) 大学に行っては夜遅く戻る
12) 自分の部屋
13) 彼女の部屋
14) ホッとしました
15) 自分が安心できる場所を持つこと

「会話」のインフォーマル・スタイル例
(ステップ4 話そう・書こう)

第1課 人と出会う 会話1　　　　　　　　　　　　　　　[28頁]

山下：リーさんの日本語のクラスでの経験を話してくれない？　何でもいいよ。

リー：そう言えば……。

山下：なになに。

リー：日本語のクラスでスピーチコンテストがあって……。こういう話でもいい？

山下：うん、いいよ。続けて。

リー：去年のことなんだけど、スピーチコンテストがあって、それに出ることになった｜んだ/の｜。

山下：ふうん。

リー：初めてだからがんばろうと思って練習したんだけど、スピーチするときにみんなの前に出たら、すごく緊張して言うことを忘れちゃった｜んだ/の｜。

山下：大変だったんだ……。

リー：うん。いま思うともっと練習しといた方がよかったかも……。

山下：スピーチって難しいよね。でも、いい経験になったと思うよ。

第2課 夢を話す 会話2　　　　　　　　　　　　　　　[65頁]

司会：じゃあ、大学祭の企画についてだけど、なんか提案ない？

　A：いろんな国の音楽が聞けるカフェをやるっていうのは、どうかな。

　B：いいね。

　C：でも、それより、音楽が中心のほうがいいんじゃない？

司会：そっかー。でも、音楽が中心の企画って、例えば？

　C：ええと、いろんな国の歌を歌うカラオケみたいなのはどう？

　B：うーん。いいかもしれないけど、大学祭でカラオケは……。

司会：そうだね。カラオケはいつでもできるから、もっと大学生らしい方がいいかも。

　A：じゃあ、民族衣装を着てその国の歌を歌うっていうのは？

Ｂ：うーん、でも、特に民族衣装がない国もあるんじゃない？

Ｃ：そうだね。じゃあ、民族衣装をやめて、自分の国の歌を紹介するってことにする？

全員：ああ、それがいいね。

第3課 違いを考える　会話1　　　　　　　　　　　　　　　　［106頁］

学生Ａ：ねえねえ、こんなデータがあったんだけど。

学生Ｂ：なーに？

学生Ａ：大学1年生の実態調査で、大学生活で大事なことは何かっていう質問があったんだけど、4分の1の学生が「なんでもほどほどに」だって。

学生Ｂ：へえ、そうなんだ。

学生Ａ：うん。「勉強第一」は2番目で20％くらいだって。

学生Ｂ：へえ。

学生Ａ：で、「サークル第一」が16％ぐらい、「豊かな人間関係」もだいたい16％。

学生Ｂ：っていうことは、「勉強もサークルもほどほどに」したいと思っている人が多いんだね？

学生Ａ：そうそう。だけど、サークルに入っている人は70％以上だって。

学生Ｂ：そうかあ。

　　　　サークルに入って友だちを作りたいっていうこと｛なんだね／なのね｝。

学生Ａ：そう｛なんだね／なのね｝、きっと。

第4課 生活になじむ　会話1　　　　　　　　　　　　　　　　［138頁］

小川：この間の日曜日に先輩の結婚式に行ったんだ。

ロバート（イギリス）：え。日本では日曜日に結婚式するんだ。

小川：え、日曜日にもするよ。どうして？

ロバート：イギリスでは、土曜日かな。ふつうの日はみんな来られないし、日曜日にはミサがあるから教会は使えないしね。

小川：へえ、そう｛なんだ／なの｝。みんなの国はどう？

チン（中国）：中国では、「8」のつく日がいいかな。「8」の発音が中国語ではいい意味があるからね。

小川：そう｛なんだ／なの｝。タイはどう？

ワンチャイ（タイ）：タイはね、ふつう結婚式は午前中にするかな。お坊さんに来てもらうんだけど、午後だとお坊さんがごはん食べられないから……。

小川：ふーん。国によってぜんぜん違うんだね。

全員：ほんとだね。

第5課 経験をふりかえる　会話1　　[170頁]

キアラ：リン、日本の生活、もう慣れた？

リン：うん。でも、ときどきちょっと分かんなくなることがあって……。

キアラ：え、例えば？

リン：えーとね。例えば、よく日本人の友だちに「また今度」って言われるんだけど、その意味がよく分かんないんだよね。

キアラ：ああ、そういうことよく聞く。ニックもマヤもそんなことを言ってた。私も始めのころは分かんなかったけど、今は「また今度」の「今度」は、言った人もいつか決められないっていう意味だって思ってるんだ。

リン：へえ、そう｜なんだ/なの｜。でも、はっきり言ってくれた方が親切だよね。

キアラ：うん。でも、すぐにはっきりできないこともあるから、「また今度」って言うんだと思うよ。っていうか、関係を悪くしたくないから使うんじゃない？

リン：ふーん、なるほど。そう考えれば分かるかな。

第6課 居場所を見つける　会話1　　[200頁]

日本人学生：アンディ、日本に来て、もう半年か……。早いね。

アンドリュー：うん、あっという間。

日本人学生：もう、慣れたでしょ。

アンドリュー：まあね。でも、始めは分かんないことが多かったけど、だんだん分かってきて、今は、すごく楽しい。

日本人学生：え、始め分かんなかったことって、何？

アンドリュー：あー、例えば、ぼくが日本語で話してるのに、日本人は英語で答えてきてがっかりしちゃったんだよね。ぼくの日本語もまだ上手じゃなかったんだけど、なんだか英語の練習に使われてるような気がして。

日本人学生：ああ、そういうことか……。

アンドリュー：うん。でも、日本語は大変だろうと思って、親切で英語で話してくれる人もいるってことが分かってきて……。

日本人学生：ああ、なるほどね……。

アンドリュー：うん。今はそういう考え方も分かったから、英語で話されてもそんなにいやじゃなくなったかな。

日本人学生：へえ、そうなんだ。アンディ、大人だなあ。

アンドリュー：うん、まあね……。

語彙索引

1. 「語彙」にあることばが「あいうえお」順に並んでいます。
2. ことばの前の**と*は、次のことを示します。
   - ** 話す・書くのに必要な語彙（書けなくてはいけない語彙）
   - * 聞く・読むのに便利な語彙（聞いたり読んだりするときに意味が分かったほうがいい語彙）
3. まず「はじめに」「課」「おわりに」、次に「ステップ」、そして「本文」「新しい文法」「聞き取り」「会話」などを示しています。そのことばがどこにあるか分かります。

例：	はじめに	→	は
	第1課　ステップ1　本文	→	1(1)本
	第1課　ステップ2　新しい文法①	→	1(2)新①
	第1課　ステップ3　聞き取り	→	1(3)聞
	第1課　ステップ4　会話1	→	1(4)会1
	おわりに	→	お

【あ】

あいことば	合言葉	6(5)本
**あいさつ	挨拶	4(5)本
*あいて	相手	1(5)本
*あいまい	あいまい(な)	3(5)本
あう	V(stem)-合う	2(3)聞
あからさま	あからさま(な)	3(5)本
*あきらか	あきらか(な)	1(5)本
あきれる	あきれる	5(5)本
*あくしゅ	握手(する)	4(5)本
*あげる	上げる	2(1)本
あじあ	アジア	2(4)会1
あたえる	与える	2(5)本
*あっというま	あっという間	お
あて	-宛	3(5)本
あびせる	浴びせる	5(5)本
**あまい	甘い	2(5)本
あやまり	誤り	5(5)本
**あやまる	謝る	5(3)聞

ありえない	ありえない	3(5)本
あるいは	あるいは	3(5)本
あるしゅの	ある種の	4(5)本
あわてる	慌てる	5(5)本
あんがい	案外	4(3)聞
**あんしん	安心(する)	2(1)本
**あんぜん	安全(な)	3(3)図
**あんない	案内(する)	1(3)聞

【い】

いいあう	言い合う	6(1)本
いがい	～以外	5(2)新①
*いがいと	意外と	1(5)本
**いがいに	～以外に	2(5)本
いきかう	行き交う	6(5)本
*いきなり	いきなり	5(5)本
いぎぶかい	意義深い	2(5)本
いきりたつ	いきりたつ	5(5)本
**いきる	生きる	3(5)本

245

**いけん	意見	2(2)新⑨, 3(3)聞
いさんで	勇んで	5(5)本
いじめ	いじめ	3(2)新②
いしょう	衣装	2(4)会2
いじょう	-以上	3(2)接③
いすらむきょう	イスラム教	3(1)本
いぜん	以前	2(5)本
いたく	委託(する)	2(5)本
いちいち	いちいち	4(3)聞
いちごいちえ	一期一会	2(3)聞
いちめん	一面	6(3)聞
いっしょう	一生	2(5)本
いっする	逸する	4(5)本
いったん〜たら	いったん〜たら	5(3)聞
いっぱんてき	一般的(な)	3(3)聞
いとうかいちょう	伊藤会長	2(5)本
いどみず	井戸水	2(1)本
いばしょ	居場所	は,6(3)聞
*いぶんか	異文化	1(3)聞
いまおもうと	今思うと	1(1)本
いまだに	未だに	2(5)本
*いらい	依頼(する)	3(5)本
いらいら	いらいら(する)	6(1)本
*いんしょう	印象	4(5)本
いんすたんと	インスタント	5(2)新④
いんたい	引退(する)	2(5)本
いんどねしあ	インドネシア	3(1)本

【う】

うぇぶ	ウェブ	4(3)聞
**うそ	嘘	1(5)本
うそもほうべん	嘘も方便	3(5)本
うちとける	打ち解ける	4(5)本
**うつくしい	美しい	2(1)本
**うつる	移る	6(3)聞
うまれこきょう	生まれ故郷	5(5)本
**うれしい	うれしい	3(1)本

【え】

*えいきょう	影響(する)	2(1)本
えちけっと	エチケット	4(5)本
**えらぶ	選ぶ	1(1)本
**えんりょ	遠慮なく	4(5)本

【お】

おいかける	追いかける	5(5)本
おうじる	応じる	1(5)本
おうせい	旺盛(な)	1(5)本
おおぜい	おおぜい	2(1)本
**おかげで	おかげで	5(1)本
おかしな	おかしな	1(1)本
おきぬけ	起きぬけ	5(5)本
*おく	奥	6(5)本
**おこなう	行う	2(5)本
**おじゃまする	お邪魔する	4(5)本
おしゃれ	おしゃれ(な)	4(2)新④
おすすめ	おすすめ	1(2)新①
*おせん	汚染(する)	2(1)本
おそらく	おそらく	3(5)本
*(お)たがい	(お)互い	2(3)聞
おちる	落ちる	2(2)新⑥
**おと	音	6(5)本
おぼうさん	お坊さん	2(5)本
おぼれる	溺れる	5(5)本
おまいり	お参り(する)	3(3)聞
おまもり	お守り	3(3)聞
おみやまいり	お宮参り	3(1)本
おもいうかべる	思い浮かべる	2(5)本
**おもいだす	思い出す	5(3)聞
*おもいで	思い出	5(5)本
おもいやる	思いやる	1(5)本
**おもて	オモテ	3(5)本
*おもな	主な	2(1)本
*およぎ	泳ぎ	5(5)本
おんだんか	温暖化	2(2)新②

【か】

*かいがいりょこう	海外旅行	1(1)本
かいかえる	買い替える	6(5)本
かいけつ	解決(する)	2(1)本
かいちょう	会長	2(5)本
がいど	ガイド	5(5)本
かいとう	回答(する)	3(3)聞
がいねん	概念	お
がいらいご	外来語	3(2)新[1]
かいりょう	改良(する)	2(1)本
かおあわせ	顔合わせ	2(3)会1
かかさない	欠かさない	5(5)本
かかわりあい	関わり合い	6(5)本
かかわる	～に関わる	2(1)本
かく	欠く	4(5)本
*かぐ	家具	6(3)聞
*がくしゅう	学習(する)	5(5)本
がくじゅつ	学術	3(4)会2
*がくぶ	学部	は
かくべつ	格別(な)	5(5)本
*かさねる	重ねる	5(5)本
**かざる	飾る	2(5)本
かしん	過信(する)	2(5)本
*かず	数	2(2)新[5]
かぞえきる	数えきる	6(1)本
*かぞえる	数える	6(5)本
*かた	肩	1(1)本
かたこと	片言	1(5)本
かたる	語る	6(5)本
かたわら	傍ら	3(5)本
*がっか	学科	2(3)聞
*がっかりする	がっかりする	5(5)本
がっしゅく	合宿(する)	6(1)本
*かつどう	活動(する)	2(3)聞
かつやく	活躍(する)	2(2)新[5]
かにゅう	加入(する)	3(4)会1
**かのじょ	彼女	3(5)本
かふぇ	カフェ	2(4)会2
**かべ	壁	6(3)聞
かまくら	鎌倉	5(5)本
かみだな	神棚	3(3)聞
がめん	画面	4(3)聞
*からおけ	カラオケ	2(4)会2
からすると	～からすると	3(1)本
*かわいがる	かわいがる	5(1)本
*かんがえかた	考え方	3(1)本
かんきょう	環境	2(1)本
**かんけい	関係(する)	3(3)聞
かんけつ	簡潔(な)	2(5)本
*かんこう	観光	2(1)本
かんこくじん	韓国人	4(5)本
かんし	監視(する)	5(5)本
*かんしゃ	感謝(する)	2(1)本
*かんじる	感じる	2(1)本
かんとう	関東	5(5)本
*かんどう	感動(する)	1(5)本

【き】

きおく	記憶(する)	6(5)本
**きかい	機会	2(5)本
きがおもい	気が重い	4(5)本
きかく	企画(する)	2(4)会2
きがん	祈願(する)	3(3)聞
**きけん	危険(な)	2(1)本
*きし	岸	5(5)本
きしつ	気質	3(5)本
きたえる	鍛える	3(4)会2, 5(5)本
きつい	きつい	6(1)本
きっかけ	きっかけ	1(1)本
*きづく	気づく	4(5)本
**きびしい	厳しい	2(1)本
**きぶん	気分	4(1)本
*きぼう	希望(する)	2(1)本
きまりのわるい	きまりの悪い	5(5)本
きまりもんく	決まり文句	6(5)本

語彙索引●247

	きもちをこめる	気持ちを込める	2(5)本		けいゆ	-経由	5(5)本
	ぎもん	疑問	3(2)新2		げき	劇	2(4)会3
*	きゃべつ	キャベツ	1(1)本		げきれい	激励(する)	2(5)本
	きゃんせる(する)	キャンセル(する)	5(2)新3		げしゅくや	下宿屋	6(5)本
**	きょういく	教育(する)	2(2)新2, 5(1)本	*	けっか	結果	2(1)本
**	きょうかい	教会	3(1)本	*	けっこんしき	結婚式	3(1)本
*	きょうし	教師	2(1)本	**	げんいん	原因	2(1)本
	ぎょうじ	行事	3(1)本		げんかく	厳格(な)	4(5)本
	きょうと	-教徒	3(1)本		げんかんぐち	玄関口	4(5)本
*	きょうりょく	協力(する)	2(2)新2, 2(3)聞	**	けんきゅう	研究(する)	2(1)本
*	きらく	気楽(な)	4(5)本	*	けんこう	健康	2(2)新2
	きりすときょう	キリスト教	3(5)本	*	けんこうほう	健康法	5(5)本
	きわめて	きわめて	4(5)本		げんざい	現在	3(4)会1
*	きんちょう(する)	緊張(する)	1(4)会1, 4(3)聞		けんさく	検索(する)	4(2)接
	きんゆう	金融	2(3)聞		けんしゅうきゅうか	研修休暇	5(5)本
					げんだい	現代	3(2)新2
					げんち	現地	お
					けんとう	検討(する)	5(3)聞
					けんどう	剣道	6(1)本
					けんめい	件名	は

【く】

くうかん	空間	6(5)本
くだる	くだる	1(3)聞
くねくねした	くねくねした	1(5)本
*くびをふる	首を振る	5(5)本
くらくらする	くらくらする	6(3)聞
くりかえし	くりかえし	6(2)新1
くりかえす	くりかえす	5(2)新1
くろう	苦労(する)	2(3)聞
くわしい	くわしい	5(2)新1

【こ】

*こいびと	恋人	4(1)本
こう	-港	5(5)本
こうえん	講演(する)	4(5)本
こうか	効果	2(1)本
ごうかく	合格(する)	3(2)新10
*こうかん	交換(する)	5(3)聞
こうきしん	好奇心	1(5)本
*こうずい	洪水	5(5)本
*こうどう	行動(する)	3(1)本
こうどうにうつす	行動に移す	2(5)本
こうない	構内	5(5)本
こうはい	後輩	2(2)新8
*こうりゅう	交流(する)	2(3)聞
こえる	超える	5(1)本
こえをかける	声をかける	5(1)本
ごく	ごく	1(5)本

【け】

けい	-系	3(4)会2
*けいえい	経営(する)	2(4)会1
**けいけん	経験(する)	は, 2(3)聞
けいこう	傾向にある	2(5)本
**けいざい	経済	は
*けいたい	携帯	1(2)新5

**こくさい	国際	2(2)新2, 2(3)聞
こくさいか	国際化	6(5)本
*こくせき	国籍	6(5)本
こくれん	国連	3(2)新6
**こころ	心	5(1)本
こころよく	快く	1(5)本
こせい	個性	6(1)本
こっか	国家	2(5)本
ことなる	異なる	4(5)本
ことばづかい	言葉づかい	3(2)新1
こともなく	V-ることもなく	1(5)本
*ことわる	断る	3(5)本
このごろ	このごろ	1(2)新7
**こまかい	細かい	4(3)聞
**こめ	米	2(1)本
こらむ	コラム	5(1)本
こんがっき	今学期	5(2)新1
こんまけ	根負けする	5(5)本

【さ】

*さーくる	サークル	2(3)聞
**さいきん	最近	1(2)新2, 6(1)本
**さいしょ	最初	2(3)聞
*さいだい	最大	5(5)本
さいばー・てろ	サイバー・テロ	3(2)新2
さいよう	採用(する)	5(2)新4
**さか	坂	1(3)聞
さかみち	坂道	1(5)本
さかや	酒屋	6(5)本
さきのこと	先のこと	2(5)本
さくせい	作成(する)	3(3)聞
さぐる	探る	6(1)本
*さけぶ	さけぶ	1(1)本
さしだしにん	差出人	は
ざたく	座卓	6(5)本
さつえいきんし	撮影禁止	2(2)新7
さばてぃかる	サバティカル	5(5)本
さほう	作法	4(5)本
さぽーと	サポート(する)	3(2)新10
ざるをえない	V-ざるをえない	5(1)本
*さんか	参加(する)	2(3)聞
**さんぎょう	産業	2(1)本
さんこう	参考	3(4)会1参

【し】

しかい	司会	2(3)
しかく	資格	3(4)会1
**しかる	叱る	5(1)本
しかん	弛緩(する)	4(5)本
じかんげんしゅ	時間厳守	2(2)新7
*じき	時期	6(5)本
しききん	敷金	6(5)本
じこ	事故	2(2)新3
しごとにつく	仕事に就く	2(3)聞
*じさつ	自殺(する)	5(5)本
じさん	持参する	4(5)本
じしん	自信	2(5)本
*しぜん	自然	2(1)本
しせんしょう	四川省	2(5)本
**じだい	時代	2(5)本
じたく	自宅	4(5)本
*したしい	親しい	3(5)本
しちごさん	七五三	3(3)聞
じっかん	実感(する)	5(5)本
*じっさいに	実際に	2(3)聞
じったい	実態	3(4)会1
しったげきれい	叱咤激励(する)	2(5)本
*じつは	実は	2(1)本
**しっぱい	失敗(する)	5(1)本
*しばらく	しばらく	1(5)本
しぶや	渋谷	1(5)本
しべりあ	シベリア	5(5)本
じむのひと	事務の人	6(3)聞
しや	視野	5(1)本

語彙索引●249

しゃかいふくし	社会福祉	3(4)会2	
	しゃべる	喋る	2(5)本
*しゅうかく	収穫(する)	1(1)本	
**しゅうかん	習慣	3(1)本	
	じゅうきょ	住居	4(5)本
	しゅうきょう	宗教	3(1)本
	しゅうきょう	宗教的(な)	3(1)本
	しゅうしょく	就職(する)	3(2)新10
	しゅうふく	修復(する)	2(5)本
*しゅじん	主人	3(1)本	
	しゅじんやく	主人役	4(5)本
	しゅとく	取得(する)	3(4)会1
*しゅるい	種類	4(3)聞	
	しゅんかん	瞬間	6(5)本
	しょ	書	2(5)本
*じょう	-上	4(5)本	
*じょう	-畳	6(5)本	
	じょうきょう	状況	5(4)会2
*じょうたい	状態	4(5)本	
	じょうちだいがく	上智大学	5(5)本
	しょうなん	湘南	5(5)本
	しょうばいはんじょう	商売繁盛	3(3)聞
*じょうほうばんぐみ	情報番組	3(3)聞	
**しょうらい	将来	2(3)聞	
	しょくぎょうにつく	職業につく	5(1)本
*しょくば	職場	5(1)本	
	じょじょ	徐々に	4(5)本
	じょせい	女性	2(2)新5
	しょぞく	所属(する)	3(4)会1
	しょるい	書類	2(2)新11, 6(2)新5
*しんごう	信号	1(5)本	
	じんこう	人口	1(2)新1
**じんじゃ	神社	3(1)本	
*じんしゅ	人種	6(5)本	
*しんじる	信じる	3(3)聞	
*じんせい	人生	2(5)本	
**しんせつにも	親切にも	6(3)聞	
	しんとう	神道	3(1)本
	しんぷる	シンプル(な)	6(1)本
	しんぽじうむ	シンポジウム	3(2)新10

【す】

**すいえい	水泳	5(5)本	
	すいえいぱんつ	水泳パンツ	5(5)本
	すいおん	水温	5(5)本
	ずいぶん	ずいぶん	3(2)新4
	すーつすがた	スーツ姿	3(1)本
*すうねん	数年	6(5)本	
	すえ	V-たすえ	1(5)本
	すがた	姿	2(5)本
*すぎる	過ぎる	3(1)本	
	すごい	すごい	2(2)新9
*すごす	過ごす	6(1)本	
	すごすごと	すごすごと	5(5)本
	すこやか	健やか(な)	3(1)本
**すっかり	すっかり	1(1)本	
	すっと	すっと	5(1)本
*すとれす	ストレス	6(3)聞	
	すなはま	砂浜	5(5)本
**すばらしい	すばらしい	1(5)本	
*すぺーす	スペース	6(5)本	
	すべて	全て	3(5)本
	すむーず	スムーズ(な)	3(5)本
**すると	すると	1(1)本

【せ】

	せい	-性	2(1)本
	せいおうてき	西欧的(な)	4(5)本
	せいか	〜せいか	5(1)本
**せいかつ	生活(する)	2(1)本	
	せいこう	成功(する)	3(2)新10
**せいさん	生産(する)	2(1)本	
	せいしゅん	青春	6(5)本
	せいちょう	成長(する)	3(1)本
**せかい	世界	は	

**せかい	世界	6(3)聞		*だい	-代	6(5)本
せき	席	5(2)新7			だいいち	-第一	3(4)会1
せっする	接する	5(1)本		*たいけん	体験(する)	1(1)本
せつでん	節電	2(2)新7		たいしゅつ	退出(する)	4(5)本
**せつめい	説明(する)	1(5)本		たいしょうしゃ	対象者	3(3)聞
**ぜひ	ぜひ	3(1)本		たいする	～に対する	3(1)本
**せわ	世話	4(5)本		だいひょうてき(な)	代表的(な)	3(2)新6
せわになる	世話になる	2(2)新9		たいよう	太陽	3(2)新6
せんきょうし	宣教師	3(5)本		*たからもの	宝物	2(5)本
*せんこう	専攻(する)	は, 2(5)本		だけだ	～だけだ	5(1)本
せんこう	線香をあげる	3(5)本		*たすける	助ける	2(3)聞
*ぜんこく	全国	3(3)聞		たずさわる	～に携わる	2(5)本
せんたく	選択(する)	2(2)新2		**たずねる	尋ねる	1(5)本
**せんぱい	先輩	2(3)聞		*たたく	たたく	1(1)本
せんめい	鮮明(な)	2(5)本		たちいりきんし	立入り禁止	2(2)新7
**せんもん	専門	2(3)聞		たちさる	立ち去る	5(5)本
せんもんてん	専門店	4(3)聞		たちば	立場	1(5)本
				たつ	経つ	4(2)新5,
							4(5)本

【そ】

そういえば	そう言えば	1(3)聞
そうかいかん	爽快感	5(5)本
*そうしき	葬式	3(1)本
そうぞうをぜっする		
	想像を絶する	5(5)本
そうでなくとも	そうでなくとも	1(5)本
そうとう	相当	5(5)本
そえる	そえる	4(5)本
そっちょく	率直(な)	3(5)本
*そのご	その後	6(3)聞
そのた	その他	3(3)聞
そばや	蕎麦屋	2(5)本
*それぞれ	それぞれ	2(4)会2
それなりに	それなりに	2(3)聞
*それほど	それほど	6(5)本
*そろえる	揃える	6(5)本

だっこ	抱っこ(する)	3(1)本
*たっぷり	たっぷり	5(5)本
たどたどしい	たどたどしい	5(5)本
たび	旅	6(1)本
たびに	～たびに	4(1)本
たべほうだい	食べ放題	2(2)新7
たまる	たまる	4(2)新2
たまる	たまる	6(1)本
ためいきをつく	ためいきをつく	5(2)新6
たもくてき	多目的	3(4)会2
だらしがない	だらしがない	4(5)本
たりる	足りる	2(2)新6
だれしも	誰しも	6(5)本
たんきりゅうがく	短期留学	4(3)聞
だんじょびょうどう	男女平等	2(2)新7
だんたい	団体	2(5)本

【た】

たあいのない	他愛のない	6(1)本

【ち】

ちえ	知恵	3(5)本

*ちがい	違い	3(1)本
ちがいない	～に違いない	5(1)本
*ちかづく	近づく	5(5)本
ちしき	知識	5(5)本
*ちゅうしん	中心	2(4)会2
ちゅーたー	チューター	は, 2(2)新⑨
*ちゅうもん	注文(する)	4(3)聞
ちょうかん	朝刊	3(3)聞
*ちょうさ(する)	調査(する)	3(3)聞
ちょきん	貯金(する)	3(4)会1
ちんあげ	賃上げ	3(2)新①

【つ】

**ついて	～について	3(1)本
つうこう	通行(する)	6(5)本
*つうじる	通じる	1(1)本
*つうやく	通訳(する)	2(5)本
つかれ	疲れ	6(1)本
*つきあい	付き合い	5(3)聞
づけ	-付	3(3)聞
つたわる	伝わる	5(3)聞
*つち	土	2(1)本
*つながる	つながる	4(5)本
つねに	常に	2(5)本
**つま	妻	3(3)聞
*つまり	つまり	3(1)本
つみ	罪	3(5)本
つらい	つらい	6(1)本

【て】

*であい	出会い	2(3)聞
*であう	出会う	2(1)本
*ていあん	提案(する)	2(4)会2
ていこう	抵抗(する)	3(5)本
でいり	出入り	6(5)本
てきおう	適応(する)	お
できごと	できごと	1(4)会1
てみやげ	手土産	4(5)本
デリ	DELI	4(3)聞
てをあわせる	手をあわせる	3(3)聞
てをうごかす	手を動かす	1(1)本
てんけいてき(な)	典型的(な)	3(2)新⑥
でんしじしょ	電子辞書	4(2)接

【と】

というのは	～というのは	1(1)本
といったところだ	～といったところだ	3(1)本
どうか	同化(する)	お
とうごう	統合(する)	お
とうざい	東西	5(5)本
とうじ	当時	1(5)本
どうし	-同士	6(1)本
**とうとう	とうとう	5(5)本
とうめい	透明(な)	5(5)本
とうもろこし	とうもろこし	2(1)本
とうろく(する)	登録(する)	3(2)接③
とおす	通す	6(5)本
とおまわし	遠回し(な)	5(3)聞
とか	～とか	4(1)本
ときには	ときには	6(5)本
どくしょする	読書(する)	3(4)ロ
*とくちょうてき	特徴的(な)	4(5)本
**とくに	特に	2(4)会1
とけこむ	溶けこむ	5(5)本
*ところで	ところで	5(3)聞
として	として	3(1)本
どじょう	土壌	2(1)本
*とたんに	～とたんに	4(1)本
**とちゅう	途中	5(5)本
どちらかといえば	どちらかと言えば	3(5)本
とっきょ	特許	2(5)本
とっくん(とくべつくんれん)	特訓(特別訓練)	5(5)本
*とって	～にとって	3(1)本

	とでん	都電	6(5)本	にんきがある	人気がある	4(2)新[1]
	とも～ともつかない	～とも～ともつかない		*にんげん	人間	3(2)新[5],
			6(5)本			3(5)本
	ともなう	伴う	6(3)聞			
	どれどれ	どれどれ	4(3)聞	【ね】		
	とんでもない	とんでもない	3(5)本	ねおき	寝起きする	6(5)本
**	どんどん	どんどん	1(1)本	*ねがう	願う	3(1)本
				**ねんかん	年間	3(3)聞
【な】				*ねんぱい	年配	5(1)本
	ないよう	内容	3(4)会2			
	なおさら	なおさら	1(5)本	【の】		
	ながでんわ	長電話	3(5)本	*のうか	農家	1(1)本
**	なかなか～ない	なかなか～ない	3(1)本	*のうぎょう	農業	1(1)本
	なかば	半ば	5(5)本	*のうやく	農薬	2(1)本
*	なかよく	仲よく	1(1)本	**のこる	残る	2(1)本
	なじむ	なじむ	3(5)本		のりこえる	乗り越える	6(1)本
*	なぜか	なぜか	5(1)本	*のりば	乗り場	1(5)本
*	なぜなら	なぜなら	1(5)本			
*	なにせん	何線	1(5)本	【は】		
	なやみ	悩み	3(2)新[2]	ば	場	5(3)聞
*	なやむ	悩む	2(1)本	**ばあい	場合	3(5)本
	ならではの	～ならではの～	5(4)会2	ばーじにあしゅう	バージニア州	6(5)本
**	ならぶ	並ぶ	4(5)本	ばいかるこ	バイカル湖	5(5)本
	なりの	～なりの	6(1)本	**はいけん	拝見する	2(5)本
**	なるべく	なるべく	2(2)新[8],	ばいと	バイト	3(4)会1
			6(3)聞	*ばか	ばか(な)	1(1)本
	なれしたしむ	馴れ親しむ	5(5)本		はかまいり	墓参り	3(3)聞
**	なれる	慣れる	は,4(3)聞	ばくだい	莫大(な)	6(5)本
	なんとなく	何となく	3(4)会1	はけん	派遣(する)	3(5)本
				はこ	はこ	1(2)接[1]
【に】				**はこぶ	運ぶ	1(1)本
	にしきょうごく	西京極	2(5)本	**ばしょ	場所	4(1)本
*	にちじ	日時	は	はずがない	～はずがない	1(1)本
	にちじょうてき	日常的(な)	6(1)本	**はつおん	発音(する)	2(2)新[9]
	にっき	日記	4(2)新[1]	はっけん	発見(する)	3(1)本
*	にゅうし	入試	3(3)聞	はっする	発する	2(5)本
*	にゅうしゃ	入社(する)	2(5)本	はっぴょう	発表(する)	2(2)新[2]
	にゅうじょうむりょう	入場無料	3(2)接[3]	はつもうで	初詣	3(1)本

*はなしかける	話しかける	1(3)聞
はなしにはながさく		
	話に花が咲く	5(1)本
*はなれる	離れる	お
はまべ	浜辺	5(5)本
はるか	はるか(な)	5(5)本
はるばる	はるばる	5(5)本
ぱわー・はらすめんと	パワー・ハラスメント	3(2)新2
はんたい	反対(する)	2(2)新9
はんのう	反応(する)	4(1)本
ばんめ	-番目	3(4)会1
はんらん	氾濫(する)	6(5)本

【ひ】

*ひ	-費	お
ひごろ	日頃	4(5)本
ひさびさに	久々に	2(5)本
ひじょう	非常に	6(1)本
ひっし	必死(な)	5(5)本
**ひつよう	必要(な)	3(2)新5, 3(5)本
ひとかげ	人影	5(5)本
*ひとこと	一言	2(3)聞
ひとつとっても	ひとつとっても	4(1)本
*ひにち	日にち	4(5)本
ひびく	響く	2(5)本
ひるま	昼間	3(2)接
*ひろびろとした	広々とした	6(5)本

【ふ】

*ふうふ	夫婦	3(5)本
**ふえる	増える	1(2)新7, 2(4)
*ふかのう	不可能(な)	6(5)本
ふかめる	深める	3(4)会2
ぶき	武器	2(5)本
*ふしぜん	不自然(な)	3(1)本

*ぶじに	無事に	は
ふたたび	再び	5(5)本
ふたりべや	二人部屋	6(3)聞
ふだん	普段	3(5)本
**ふつう	普通	4(1)本
ぶつかる	ぶつかる	4(2)新6
ぶっきょう	仏教	3(1)本
ぶつける	ぶつける	3(5)本
ぶっしき	仏式	3(1)本
ぶつだん	仏壇	3(1)本
*ぷらいべーと	プライベート(な)	6(5)本
ふりかえる	振り返る	は, 5(5)本
ぷりんと	プリント(する)	2(2)新6
ふるまう	振る舞う	お
*ぶろぐ	ブログ	4(1)本
**ぶんか	文化	3(3)聞
ぶんかざい	文化財	2(5)本
ぶんしょう	文章	3(2)新9
*ぶんや	分野	2(1)本

【へ】

*へいき	平気(な)	5(5)本
へいきん	平均	3(4)ロ
*へいわ	平和	3(3)聞
へる	減る	2(2)新5
*へんか	変化(する)	3(5)本
へんれい	返礼	4(5)本

【ほ】

ぽいんと	ポイント	4(2)新2
*ほう	-法	2(5)本
*ほうこく	報告(する)	2(5)本
ほうしき	方式	3(3)聞
ほうにち	訪日(する)	2(5)本
ほうもん	訪問(する)	4(5)本
*ほーむすてい	ホームステイ	1(1)本
ぽかっと	ポカッと	1(1)本
ほぐす	ほぐす	4(5)本

*ほくぶ	北部	5(5)本	
ほご	保護(する)	2(5)本	
ほじ	保持(する)	お	
ほっかい	北海	5(5)本	
ほっとする	ホッとする	6(3)聞	
ぼでぃー・らんげーじ	ボディー・ランゲージ	1(1)本	
ほどちかい	ほど近い	5(5)本	
ほどほど	ほどほど	3(4)会1	
ほんごうどおり	本郷通り	6(5)本	
ほんね	本音	4(1)本	
**ほんやく	翻訳(する)	2(3)聞	

【ま】

ま	間	6(5)本
まいご	迷子	1(5)本
まして	まして	3(5)本
ましてや	ましてや	1(5)本
**まじめ	まじめ(な)	6(3)聞
まち	街	1(5)本
まちあわせ	待ち合わせ	4(3)聞
まちうける	待ち受ける	5(5)本
まちくたびれる	待ちくたびれる	5(5)本
まつわる	～にまつわる	5(1)本
*まなー	マナー	4(2)新[3], 4(5)本
まなぶ	学ぶ	5(2)新[1]
まねく	招く	4(4)会1
*まもる	守る	4(5)本
**まわる	まわる	1(5)本
**まんなか	真中	6(5)本

【み】

み	未-	3(4)会1
*みーてぃんぐ	ミーティング	4(3)聞
みさ	ミサ	4(4)会1
*みずうみ	湖	5(5)本
みたす	満たす	6(5)本

みちあんない	道案内(する)	1(3)聞
みぢか	身近(な)	1(3)聞
みにつく	身につく	3(5)本
みにつける	身につける	3(3)聞
みまん	-未満	3(2)接
*みやげ	土産	4(5)本
みんぞく	民族	2(4)会2

【む】

むかいとう	無回答	3(4)会1
**むかう	向かう	5(5)本
**むかし	むかし	2(1)本
むかしばなし	昔話	5(2)新[2]
むじゅん	矛盾(する)	3(1)本
むしろ	むしろ	3(1)本
むじんとう	無人島	3(2)新[9]
**むすめさん	娘さん	3(1)本
*むだばなし	無駄話	6(1)本

【め】

*めいわく	迷惑(な)	4(5)本
めうえ	目上	3(2)新[1]
めがさめる	目が覚める	2(5)本
めをさます	目を覚ます	6(3)聞
めん	-面	3(3)聞
めんせつ	面接(する)	1(2)新[5]
めんせつしゃ	面接者	5(2)新[1]

【も】

もうぜん	猛然と	5(5)本
もぎてん	模擬店	2(4)会3
*もくひょう	目標	1(4)会1
*もっとも	最も	6(5)本
もとづく	基づく	4(5)本
もとめる	求める	3(4)会2
ものごと	物事	1(5)本
ものずき	物好き(な)	5(5)本
ものだ	～ものだ	1(1)本

もんぜんばらいをくう 門前払いを食う	6(5)本
**もんだい	問題	1(2)新⑤, 2(1)本

【や】

やく	約-	3(3)聞
**やくそく	約束(する)	4(5)本
**やくにたつ	役に立つ	2(3)聞
やっぱり	やっぱり	3(2)新⑤
やはん	夜半	6(5)本
やむをえない	やむを得ない	3(5)本

【ゆ】

ゆ	湯	5(2)新④
ゆいいつ	唯一	2(5)本
ゆういぎ	有意義(な)	6(5)本
ゆううつ	憂鬱(な)	6(3)聞
ゆうけんしゃ	有権者	3(3)聞
ゆうこう(な)	有効(な)	3(3)聞
*ゆうじん	友人	2(5)本
ゆーもらす	ユーモラス(な)	5(5)本
ゆえ	～ゆえ	3(1)本
ゆきだるま	雪だるま	6(2)新①
ゆたか	豊か(な)	3(4)会1
**ゆめ	夢	は, 2(1)本

【よ】

ようきゅう	要求(する)	3(2)新①
*ようす	様子	3(2)新④, 4(5)本
ようなきがする	～ような気がする	3(1)本
ように	～ように	5(1)本
ようやく	ようやく	5(5)本
よこになる	横になる	6(5)本
よこはま	横浜	3(1)本
よつや	四谷	5(5)本
よみうりしんぶん	読売新聞	3(3)聞
よろこぶ	喜ぶ	6(3)聞
よんぶんのいち	4分の1	3(4)会1

【ら】

らいにち	来日(する)	4(5)本

【り】

りーだー	リーダー	3(2)新⑤
*りか	理科	2(1)本
*りかい	理解(する)	3(1)本
**りゆう	理由	3(5)本
りゅうがくせいせんたー 留学生センター	5(1)本
*りょう	寮	は
りょう	-量	2(1)本
**りょうほう	両方	3(3)聞
りょかん	旅館	3(2)新⑥
りょこうしゃ	旅行者	5(5)本
*りらっくす	リラックス(する)	4(5)本

【る】

*るーる	ルール	4(5)本

【れ】

れいぎ	礼儀	4(5)本
れいきん	礼金	6(5)本
れいじょう	礼状	4(5)本
れぽーと	レポート	2(2)新⑨
れんぞく	連続(する)	6(5)本
れんぞくちょうさ	連続調査	3(3)聞

【ろ】

ろん	-論	6(5)本
*ろんぶん	論文	2(2)新⑪

【わ】

わかもの	若者	2(2)新⑪
わく	枠	5(1)本

わけだ	〜わけだ	3(1)本
*わける	分ける	5(1)本
わずか	わずか(な)	1(5)本
わだい	話題	3(3)聞

文法・表現索引

1. 文法と表現が「あいうえお」順に並んでいます。
2. まず「課」、次に「復習文法」「新しい文法」「接続表現」「便利な表現」を示しています。その文法と表現がどこにあるか分かります。

例： 第1課、復習文法①　→　1 復①
　　 第1課、新しい文法1　→　1 新1
　　 第1課、接続表現1　→　1 接1
　　 第1課、便利な表現①　→　1 便①

【あ行】

あいだに	S1(plain)間(に)S2	6 復①
あるいは	あるいは	3 接3
いけない	V-ないといけない	2 新4
いまおもうと	今思うと	1 便②
うけみ	受身(passive)	1 復⑥
うけみけいのけいご	受身形の敬語 (passive forms used as honorifics)	2 新10

【か行】

かのうけい	可能形(potential forms)	2 復⑤
からすると	Nからすると	3 新4
けいご	敬語(polite expressions)	2 復⑥

【さ行】

ざるをえない	V-ざるをえない	5 新3
しえきうけみ	使役受身(causative passive)	4 復②
すると	すると	1 接1
せいか	Nの/S(plain)せいか、〜	5 新5
そういえば	そう言えば	1 便①

そうだ	V/A/AN(stem)-そうだ(様態)	1 復①
そうだ	S(plain)そうだ(伝聞)	2 復①
そうにしている	A/AN(stem)-そうにしている	1 新2
そのうえ	そのうえ	1 接3
それで	それで	2 接1
それなり	それなりの/なりに	2 便①

【た行】

だ・であるたい	だ・である体(speech style：direct)	2 新1
だけだ	S(plain)だけだ	5 新4
だけでなく	V(plain)だけでなく	2 新9
ただし	S1。ただ(し), S2。	3 接2
たびに	V-る/Nのたびに	4 新2
ために	S(plain)/Nのために〜	2 新3
たら	S1(predicateたら-form), S2(plain past)だろう	3 新10
つもりだ	V-たつもりだ	2 新6
てある	V-てある(結果)	3 復①
ていく	V-ていく(移動)	2 復③
ていく	V-ていく(変化)	2 新5
てくる	V-てくる(移動)	1 復④

てくる	V-てくる（変化）	1	新7
てくれる	V-てくれる（授受）	1	復2
てしまう	V-てしまう	2	復4
ては	V1-てはV2	6	新1
てはじめて	V-て初めて	6	新3
てほしい	V-てほしい	3	復3
と	V(non-past)とS(non-past)（条件）	3	復2
と	S(plain non-past)とS(past)	6	新4
というのは	NというのはS(plain non-past)ものだ	1	新6
といったところだ	Nといったところだ	3	新6
とか	～とか～とか	4	新1
ところだ	Vところだ	1	新4
ところで	ところで	5	接1
として	Nとして	3	新8
とする	V-(y)ooとする	1	新3
とする	S(plain past)とする	3	新9
とたん	V-たとたん（に）	4	新6
とは	N1（と）はS(plain)/N2という意味(の言葉)だ	2	新7
とも	～とも～ともつかない	6	接1

【な行】

なかで	V1-る中でV2	5	新1
なかなか	なかなか～できない	3	便1
ながら	～ながら	4	新5
なくちゃ	V-なくちゃ	4	復1
にかかわる	N1に関わるN2	2	新2
にたいして	N1に対してN2/N1に対するN2	3	新1
にちがいない	S(plain)/Nに違いない	5	新7
にとって	Nにとって	3	新5
にまつわる	N1にまつわるN2	5	新2
のだ	S(plain)のだ	1	復7
のは～だ	S(plain)のは～だ	1	新1

【は行】

ばかりだ	V-たばかりだ	6	新5
はしない	V(stem)はしない	2	新11
はずがない	S(plain)はずがない	1	新5
ひとつとっても	Nひとつとっても	4	新4
ふつうだ	V(plain non-past)のが普通だ	4	新3
ほどの	S(plain non-past)ほどのN/ほど～	6	新2

【ま行】

まして	まして（や）	1	接2
まず	まず	4	接1
むしろ	むしろ	3	接1

【や行】

ゆえの	S(plain)/NゆえのN	3	新2
よう	V-(y)oo（意志）	1	復3
ようだ	S(plain)ようだ（推量）	1	復5
ようなきがする	S(plain)ような気がする	3	新7
ように	S(plain)ように/NのようにV	5	新6
ようにする	S(plain non-past)ようにする	2	新8
ようになる	S(plain non-past)ようになる（変化）	2	復2

【わ行】

わけだ	S(plain)わけだ	3	新3

編著者略歴

近藤 安月子（こんどう あつこ）
東京大学名誉教授。国際基督教大学教養学部卒、コーネル大学大学院Ph.D.（言語学）、カンザス大学専任講師、ハーバード大学専任講師、コーネル大学 Teaching Assistant、東京外国語大学外国語学部助教授、東京大学大学院総合文化研究科教授を歴任。Japanese-English Learner's Dictionary（研究社）、『中・上級日本語教科書 日本への招待 第2版』『上級日本語教科書 文化へのまなざし』『日本語教育実践入門』（以上、東京大学出版会）、『日本語学入門』『日本語文法の論点43』『研究社日本語教育事典』（以上、研究社）などを執筆・監修・編集。

丸山 千歌（まるやま ちか）
立教大学異文化コミュニケーション学部教授。国際基督教大学教養学部卒、同大学大学院博士（学術）。東京家政学院大学、東京大学 AIKOM 日本語プログラム非常勤講師、横浜国立大学留学生センター准教授を経て現職。『中・上級日本語教科書 日本への招待 第2版』『上級日本語教科書 文化へのまなざし』『日本語教育実践入門』（以上、東京大学出版会）、『総合日語 第2冊』（北京大学出版会・凡人社）、『新界標日本語』（復旦大学出版会）などを執筆・編集。

有吉 英心子（ありよし えみこ）
東京大学グローバルコミュニケーション研究センター（CGCS）、白百合女子大学非常勤講師。西南学院大学文学部外国語学科卒、東京外国語大学大学院修士（学術）。ヒューマンアカデミー日本語教師養成講座非常勤講師、東京大学 AIKOM 日本語プログラム非常勤講師を経て現職。『日本語教育能力検定試験 50音順 用語集』（翔永社）、『日本語の教え方スーパーキット2 新選素材』（アルク）などを執筆。

中級日本語教科書　わたしの見つけた日本

2013年10月17日　初　版
2025年 7 月10日　第6刷

［検印廃止］

編著者　近藤 安月子・丸山 千歌・有吉 英心子
発行所　一般財団法人　東京大学出版会
　　　　代表者　中島 隆博

153-0041　東京都目黒区駒場4-5-29
https://www.utp.or.jp
電話　03-6407-1069・FAX 03-6407-1991
振替　00160-6-59964

組　版　有限会社 P. WORD
印刷所　株式会社三秀舎
製本所　誠製本株式会社

©2013　KONDOH Atsuko, MARUYAMA Chika and ARIYOSHI Emiko
ISBN978-4-13-082018-9　Printed in Japan

JCOPY〈出版者著作権管理機構 委託出版物〉
本書の無断複写は著作権法上での例外を除き禁じられています．複写される場合は，そのつど事前に，出版者著作権管理機構（電話 03-5244-5088，FAX 03-5244-5089，e-mail:info@jcopy.or.jp）の許諾を得てください．

東京大学AIKOM日本語プログラム　近藤安月子・丸山千歌［編著］
中・上級日本語教科書　日本への招待 第2版
For Pre-Advanced and Advanced Learners of Japanese
Images of Japan, 2nd Edition

新聞・小説・エッセイなど多彩な文章と、豊富な図・グラフから学ぶ

日本語を学びながら、日本人・日本社会に対するステレオタイプを突き崩し、「日本」や「国際理解」について考えることができる教材。女性の生き方、教育のあり方、日本に住む外国人など多様化する日本社会をテーマに、学習者の知的好奇心にこたえる厳選された文章や資料を収める。

テキスト　Text
Ｂ５判・196頁・定価（本体2400円＋税）　ISBN978-4-13-082011-0

新聞・小説・エッセイ・イラスト・図表などから日本語を学ぶ。それぞれの文章には、学習者のレベルに応じて「フリガナつき」「フリガナなし」の二つを用意。日本を知るための参考図書リストも付く。

　　　＜主な目次＞
　　　はじめに　　イメージの日本・日本人──ステレオタイプへの挑戦
　　　テーマ１　　女性の生き方　（「働く女性の生活」「私たちの選択」ほか）
　　　テーマ２　　子どもと教育　（「「登校拒否」って何？」「親子の姿　重ねた体験」ほか）
　　　テーマ３　　若者の感性　　（「いつの時代も若者は」「若者の友人関係」ほか）
　　　テーマ４　　仕事への意識　（「新しい時代の働き方」「会社と「出る杭・出ない杭」」ほか）
　　　テーマ５　　日本の外国人　（「在日ブラジル人　脱・出稼ぎ」「外国人はめずらしい？」ほか）
　　　おわりに　　多様化する日本・日本人──ステレオタイプを超えて

予習シート・語彙・文型　Tasks, Vocabulary and Sentence Patterns
Ｂ５判・216頁・定価（本体2800円＋税）　ISBN978-4-13-082012-7

テキストの読みを助ける「予習シート」、2310語の「語彙」リスト、便利な59の「文型」からなる副読本。英語・中国語・韓国語の対訳が付く。

CD３枚付セット　Complete Set with 3 CDs
定価（本体9500円＋税）　ISBN978-4-13-082013-4

①テキスト、②予習シート・語彙・文型、③テキストの「資料」を収録したＣＤ３枚（合計165分）のセット。

教師用指導書　Teacher's Manual
Ｂ５判・152頁・定価（本体3800円＋税）　ISBN978-4-13-082014-1

『日本への招待』の概要、具体的な使用法、発展させた活動といった資料を盛り込む。いっそう充実した授業のために。

東京大学AIKOM日本語プログラム　近藤安月子・丸山千歌［編著］
上級日本語教科書　文化へのまなざし
For Advanced Learners of Japanese
Facets of Culture

越境する文化をテーマにした18の資料から学ぶ

外国人留学生が、大学のアカデミックな生活に求められる日本語を学ぶための教科書。人文科学・社会科学・自然科学の分野の基礎となる語彙・文型を提供。学習者が自己発信する能力を身につけられる。東京大学AIKOM日本語プログラムで開発された好評教材。

テキスト　Text

Ｂ５判・192頁・定価（本体2500円＋税）　ISBN978-4-13-082122-3

「越境」と「変容」をキーワードにした18の文章を収める。新聞記事、グラフ資料などの関連情報もそろえる。

　　　　＜主な目次＞
　　　　はじめに　越境すること・変容すること
　　　　テーマ１　国際共通語　（「国際語の意義」「言語教育と異文化間リテラシー」ほか）
　　　　テーマ２　個性と学び　（「能力別教育・到達度教育でここまで伸びる」ほか）
　　　　テーマ３　翻　訳　（「正しい翻訳とは」「「菜の花」へのまなざし」ほか）
　　　　テーマ４　フリーターと仕事　（「雇用不安の背後で」「決めつける若者会社」ほか）
　　　　テーマ５　ポップ・カルチャー　（「マンガ・アニメのグローバライゼーション」ほか）
　　　　テーマ６　クローンと生命　（「ヒト・クローンは本当に禁断の技術か？」ほか）
　　　　おわりに　文化へのまなざし

予習シート・語彙・文型　Tasks, Vocabulary and Sentence Patterns

Ｂ５判・272頁・定価（本体3400円＋税）　ISBN978-4-13-009057-5

テキストの理解を助ける「予習シート」、英語・中国語・韓国語に対応した2900の「語彙」、表現の練習ができる86の「文型」で構成された副教材。

ＣＤ２枚付セット　Complete Set with 3 CDs

定価（本体9500円＋税）　ISBN978-4-13-082124-7

①テキスト、②予習シート・語彙・文型、③テキストの"資料１"を収録したＣＤ２枚、④予習シートの解答──この４点からなるセット。